"读原著·学原文·悟原理"丛书

DUYUANZHU XUEYUANWEN WUYUANLI

《资本论》
这样学

孙熙国　张梧 | 主编

易佳乐　余志利 | 著

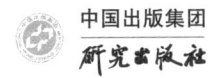

中国出版集团

研究出版社

图书在版编目(CIP)数据

《资本论》这样学 / 易佳乐,余志利著. -- 北京：研究出版社,2022.4
 ISBN 978-7-5199-1186-7

Ⅰ.①资… Ⅱ.①易…②余… Ⅲ.①《资本论》-马克思著作研究 Ⅳ.①A811.23

中国版本图书馆CIP数据核字(2022)第050131号

出 品 人：赵卜慧
出版统筹：张高里 丁 波
责任编辑：朱唯唯

《资本论》这样学

ZIBENLUN ZHEYANGXUE

易佳乐 余志利 著

研究出版社 出版发行

(100006 北京市东城区灯市口大街100号华腾商务楼)
北京中科印刷有限公司印刷 新华书店经销
2022年4月第1版 2023年1月第3次印刷
开本：787毫米×1092毫米 1/32 印张：4
字数：54千字
ISBN 978-7-5199-1186-7 定价：29.80元
电话(010)64217619 64217612(发行部)

版权所有·侵权必究
凡购买本社图书，如有印制质量问题，我社负责调换。

"读原著·学原文·悟原理"丛书编委会

编委会主任：

孙熙国　孙蚌珠　孙代尧　张　梧

编委（以姓氏笔画为序）：

王　蔚　王继华　田　曦　任　远
孙代尧　孙蚌珠　孙熙国　朱　红
朱正平　吴　波　李　洁　何　娟
汪　越　张　梧　张　晶　张　懿
余志利　张艳萍　易佳乐　房静雅
金德楠　侯春兰　姚景谦　梅沙白
曹金龙　韩致宁

编委会主任

孙熙国，北京大学马克思主义学院教授、博导，北京大学习近平新时代中国特色社会主义思想研究院常务副院长，北京大学学位委员会马克思主义理论学科分会主席，国家"万人计划"教学名师，中央马克思主义理论研究和建设工程课题组首席专家，国务院学位委员会马克思主义理论学科评议组成员，教育部马克思主义理论类专业教学指导委员会副主任委员。兼任国际易学联合会会长，中国历史唯物主义学会副会长，北京市高教学会马克思主义原理研究会会长。

在《哲学研究》等刊物发表学术论文百余篇，著有《先秦哲学的意蕴》《马克思主义基本原理前沿问题研究》（第一作者）等，主编高校哲学专业统一使用重点教材《中国哲学史》，主编全国高中生统用教科书《思想政治·生活与哲学》《思想政治·哲学与文化》，获首届全国优秀教材一等奖。主持"马藏早期文献与马克思主义在中国的早期传播""马克思主义基本原理的学科对象与理论体系"等国家哲学社会科学重大项目和重点项目。

孙蚌珠,经济学博士,教授。现任北京大学马克思主义学院党委书记、习近平新时代中国特色社会主义研究院副院长。教育部高等学校思想政治理论课教学指导委员会委员总教指委主任委员、"形势与政策"和"当代世界经济和政治"分指导委员会主任委员。马克思主义研究和建设工程首席专家,国家义务教育教科书"道德与法治"编委会主任,国家统编高中思想政治教材《经济与社会》主编、国家中等职业学校思想政治教材编委会主任。中国政治经济学学会副会长、中国《资本论》研究会副会长。主要从事政治经济学、中国特色社会主义经济理论与实践研究,获得过北京市科学技术进步二等奖,是全国首届百名优秀"两课"教师、全国思想政治理论课影响力标兵人物、北京市高等学校教师名师、国家"万人计划"教学名师、享受国务院政府特殊津贴专家。

孙代尧,北京大学法学学士、硕士和博士。现任北京大学博雅特聘教授、社会科学学部学术委员和马克思主义学院学术委员会主任,《北京大学学报(哲学社会科学版)》主编。曾任马克思主义学院副院长、学位委员会主席、教育部高校思政课教学指导委员会委员。

先后入选国务院政府特殊津贴专家、中宣部全国文化名家暨"四个一批"人才、国家"万人计划"第一批哲学社会科学领军人才;担任中央马克思主义理论研究和建设工程专家、中国科学社会主义学会副会长等。

主要从事马克思主义理论、社会主义历史和理论等领域的教学和研究。担任教育部哲学社会科学研究重大课题攻关项目、国家社科基金重大项目首席专家。科研成果曾获北京市哲学社会科学优秀成果一等奖等多个奖项。

张梧,哲学博士。现为北京大学哲学系助理教授、研究员、博士生导师,中国人学学会秘书长、北京大学中国特色社会主义理论体系研究中心研究员、济宁干部政德学院"尼山学者"。主要研究方向是马克思主义哲学史、社会发展理论等。曾著有《马克思恩格斯〈德意志意识形态〉研究读本》《社会发展的全球审视》等学术专著,在《哲学研究》等核心期刊发表论文30余篇。

代序

马克思主义可以这样学

马克思主义应该怎样学？马克思主义经典著作应该怎样读？北京大学马克思主义学院以博士生的"马克思主义经典著作研读"课为抓手，进行了积极的探索，走出了一条"读原著、学原文、悟原理"的新路子，逐步形成了马克思主义理论专业人才培养的"北大模式"。

北京大学具有学习、研究和传播马克思主义的光荣传统。北京大学是中国马克思主义的发祥地，是中国共产党最早的活动基地，是中国马克思主义理论教育的诞生地。1920年，李大钊在北大开设了"唯物史观""工人的国际运动与社会主义的将来""社会主义与社会运动"等马克思主义理论课程和专题讲座，带领学生阅读马克思主义经典著作，公开讲授和宣传马克思主义。李大钊在北大所做的这些工作，与拉布里奥拉在意大利罗马大学、布哈林在苏俄红色教授学院、河上肇在日本京都帝国大学进行的马克思主义理论教学和研究工作，共同开启了马克思主义理论进入高校课堂的先河。

一百多年过去了，一代代的北大人始终把学习研究和宣传马克思主义作为自己的崇高使命，始终把马克思主义经典著作的学习研读作为教育教学的一项重要内容。2014年5月4日，习近平在北京大学师生座谈会上的讲话中指出，北京大学是新文化运动的中心和五四运动的策源地，是这段光荣历史的见证者。长期以来，北京大学广大师生始终与祖国和人民共命运、与时代和社会同前进，在各条战线上为我国革命、建设、改革事业作出了重要贡献。2018年5月2日，习近平总书记在北京大学考察时指出，北京大学是中国最早传播和研究马克思主义的地方。中国共产党的主要创始人和一些早期著名活动家，正是在北大工作或学习期间开始阅读马克思主义著作、传播马克思主义的，并推动了中国共产党的建立。这是北大的骄傲，也是北大的光荣。由此我们可以看到，北大具有学习研究和传播马克思主义的光荣传统，具有与祖国和人民共命运、与时代和社会同前进的光荣传统，具有爱国、进步、民主、科学的光荣传统。因此，如果要讲北大传统，首先就是马克思主义的传统；如果要讲北大精神，首先就是马克思主义的精神。北大学习研究和传播马克思主义的精神和传统始终与马克思主义经典著作的研读和学习紧紧结合在一起。

2018年5月2日，习近平总书记视察北大马克思主义学院时指出："高校马克思主义学院就是要坚持'马院姓马，在马言马'的鲜明导向和办学原则，为巩固马克思主义在意识形态领域的指导地位，推动马克思主义进校园、进课堂、进学生头脑，发挥应有作用。"在习近平总书记重要讲话精神的指导下，北京大学马克思主义学院逐步确立了以"埋首经典，关注现实"为基本理念、以马克思主义经典文献学习研读为重要内容的马克思主义卓越人才培养的"北大模式"。其中加强和完善"马克思主义经典著作研读"课程，并对研究生、特别是博士研究生进行马克思主义经典著作的中期考核成为北大博士生培养的一个重要环节。

北京大学马克思主义学院的学生究竟怎样学习马克思主义基本原理？怎样阅读马克思主义经典著作呢？

习近平总书记指出："学习理论最有效的办法是

读原著、学原文、悟原理。"要学好马克思主义理论,就必须要读马克思主义经典作家的原著,学马克思主义经典作家的原文,悟马克思主义基本原理。一句话,就是必须要学好马克思主义经典著作。"马克思主义经典著作"这门课一直是我国高校马克思主义学院研究生的核心课程。北大给硕士生开设的马克思主义经典著作课叫"马克思主义经典著作导读",给博士生开设的马克思主义经典著作课叫"马克思主义经典著作研读"。我负责博士生的"马克思主义经典著作研读"课始自2010年秋季。一开始是我一个人讲,后来孙蚌珠、孙代尧老师加入进来,再后来马克思主义基本原理所、马克思主义发展史所的老师们也陆续加入到了本课程的教学和研究工作中。博士生的"马克思主义经典著作研读"课程的学习时间是一年,学习阅读的文本有30多篇。北大学习研读经典文本的基本方式是在学习某一文本之前,先由学生来做文献综述,通过文献综述把这一文本的文献概况、主要内容、学界争论的焦点问题、学者研究的基本方法和形成的基本范式梳理概括出来。呈现给读者的这套《读原著、学原文、悟原理》丛书,就是北京大学马克思主义学院2016级博士生在"马克思主义经典著作研读"课程学习过程中，在授课老师指导下围绕所学的马克思恩格斯经典文本完成的成果结集。授课教师从2016级博士生的研读成果中精选出了优秀的研究成果，经反复修改完善，以"读原著、学原文、悟原理"作为丛书书名出版。

本丛书收录了从马克思高中毕业撰写的三篇作文到恩格斯晚年撰写的《路德维希·费尔巴哈和德国古典哲学的终结》等代表性著述20余篇。这20篇著作是北京大学马克思主义学院马克思主义理论一级学科各专业和政治经济学、科学社会主义与国际共产主义运动专业博士生必修课"马克思主义经典著作研读"的必学书目。丛书作者对这20余篇著作的研究状况和研究内容的梳理、概括和总结，基本上反映了北大"马克思主义经典著作研读"课程的主要内容，展现了北大马克思主义学院博士生学习研读马克思主义经典著作的基本情况，是北大博士生阅读马克思主义经典文本、学习马克思主义基本原理的一个缩影。在某种意义上说，这些成果体现了北大马克思主义学院博士生学习马克思主义经典著作的基本方式。因此，我们可以自豪地说，马克思主义经典文本可以"这样读"，马克思主义基本原理可以"这样学"。

本书对马克思恩格斯每一时期文本的介绍和阐释主要是围绕以下四个方面的内容展开的。一是对马克思恩格斯这一文本的写作、出版和传播等主要情况的介绍和说明，二是对这一文本的主要内容的介绍和提炼，三是对国内外学者关于这一文本研究的基本方法、形成的基本范式和切入点的概括总结，四是对国内外学者在这一文本研究过程中所涉及到的一些具有争议性的问题或焦点问题的梳理和辨析。在每一章的后面，作者又较为详细地列出了该文本研究的主要参考文献，也就是关于每一个文本的代表性研究成果。本书力图从以上四个方面入手，尽可能客观全面地展示国内外学者关于马克思恩格斯这些经典文本的研究状况、研究结论和研究方法，以期对马克思主义学院师生学习、研读马克思主义经典著作提供参考和借鉴。

马克思主义理论是我们做好一切工作的看家本领，也是领导干部必须普遍掌握的工作制胜的看家本领。我们期望这套20本的"读原著、学原文、悟原理"丛书能够在这方面给大家提供一些积极的启示和有益的帮助。

孙熙国
2022.2

目 录 CONTENTS

一、文献写作概况　　004

二、文献内容概要　　011

三、研究范式　　026

四、焦点问题　　033

五、小结　　104

皇皇巨著,四十年磨一剑。众所周知,《资本论》是一部具有划时代意义的经典巨著,是马克思主义最厚重、最丰富的著作。1867年,《资本论》德文版第一卷首次出版发行,距今已经过去了超过一个半世纪。沧海桑田,物换星移,人类社会已然发生巨大而深刻的变化,但《资本论》的理论价值和实践意义并没有随着岁月的流逝而褪色,相反,其蕴含的深厚思想越发流光溢彩、历久弥新,始终绽放着耀眼的真理光芒。

在人类历史上,从来没有哪一部著作像《资本论》一样,自问世之日起就遭遇赞美与攻击的双重命运。工人阶级视之为"圣经",资产阶级则把它看作洪水猛兽。《资本论》是马克思耗费毕生精力和心血的智慧结晶。按照马克思自己的话来说,他之所以要写作《资本论》,其目的就是要研究资本主义生产方式以及和它相适应的生产关系和交换关系,揭示现代社会的经济运动规律。作为一部里程碑式的鸿篇巨制,《资本论》运用历史唯物主义和辩证法，科学揭示了资本主义经济的运行规律和资本主义社会的历史发展趋势，深刻阐释了资本主义产生、发展和灭亡的规律，为世界历史发展和人类前途命运指明了前进方向，产生了深刻而广泛的影响。

20世纪见证了马克思主义的蓬勃发展和辉煌成就，也目睹了马克思主义的停滞不前和挫折衰落。特别是20世纪末，柏林墙倒塌，东欧剧变，苏联解体，国际共产主义运动遭遇前所未有的重大挫折，陷入低谷。美国学者布热津斯基指出，共产主义已经失败，共产主义的灭亡不可避免。弗朗西斯·福山更是提出了名噪一时的"历史终结论"。然而，事物的发展是不以人的意志为转移的。正当西方资本主义国家对资本主义笃信不疑、引吭高歌的时候，一场震惊世界、席卷全球的经济危机悄然来临。2008年，以美国为首的西方资本主义国家相继爆发了自20世纪30年代大萧条时期以来最为严重的经济危机。面对经济衰退、失业人数增加、贫富差距拉大等一系列问题，新自由主义手足无措，黔驴技穷。人们纷纷将希望的目光重新投向《资本论》，试图从中汲取营养，找到解决经济危机的办法。在这样的背景下，西方出现了"《资本论》热"。不少西方学者重新投身《资本论》研究，从马克思主义政治经济学视角来反思资本主义的危机和弊端，寻求资本主义的未来发展之路。

习近平在哲学社会科学座谈会上的讲话中指出："从国际金融危机看，许多西方国家经济持续低迷、两极分化加剧、社会矛盾加深，说明资本主义固有的生产社会化和生产资料私人占有之间的矛盾依然存在，但表现形式、存在特点有所不同。"[1]之后，他在中共中央政治局第四十三次集体学习中再次强调，要"加强对当代资本主义的研究，分析把握其出现的各种变化及其本质，深化对资本主义和国际政治经济关系深刻复杂变化的规律性认识"[2]。《资本论》作为正确认识资本主义的宝贵理论资源，学习和研究《资本论》，将有助于我们深刻理解资本主义社会出现的新变化、新情况、新问题，正确认识资本主义的危机形态、发展趋势、演进过程。

---

[1]《习近平在哲学社会科学工作座谈会上的讲话》，《人民日报》2016年5月19日第2版。
[2]《习近平在中共中央政治局第四十三次集体学习时强调深刻认识马克思主义时代意义和现实意义　继续推进马克思主义中国化时代化大众化》，《人民日报》2017年9月30日第1版。

《资本论》不仅是一部伟大的政治经济学著作，同时还是一部包罗万象的百科全书。它蕴含了马克思在哲学、政治学、历史学、法学、伦理学、文学艺术、科学技术等方面的丰厚思想。当前，中国特色社会主义进入了新时代。站在新的历史起点，无论是中国特色社会主义理论的构建与发展，还是中国特色社会主义实践的推进与深入，都迫切需要加强对《资本论》的学习和研究。以马克思主义的立场、观点和方法为指导，埋首经典，关注现实，不断挖掘新材料，发现新问题，提出新观点，构建新理论，不断将当代中国马克思主义、21世纪马克思主义推向前进。

一、文献写作概况

（一）历史背景

马克思说过，任何真正的哲学都是自己时代精神的精华。毛泽东同志曾指出："人们能够对于社会历史的发展作全面的历史的了解，把对于社会的认识变成了科学，这只是到了伴随巨大生产力——大工业而出现近代无产阶级的时候，这就是马克思主义的科学。"[1]从16世纪起,资本主义生产方式最先在西欧的英、法等国逐步发展起来。17世纪40年代,英国率先出现资产阶级革命,资产阶级在取得政权后,采取一系列措施加快资本主义发展的步伐。海峡对岸的法国在1789年爆发大革命后,资产阶级革命滚滚向前,资本主义得到迅速发展。

尽管资本主义在当时还处在蒸蒸日上、蓬勃发展的阶段,但是资本主义的内部矛盾、固有弊端开始充分暴露出来。1825年,在英国爆发了资本主义世界第一次经济危机。此后,资本主义周期性的生产过剩危机不断重现,此起彼伏,一浪接一浪。马克思敏锐地注意到了资本主义危机,觉察到资本主义生产关系不仅没有推动生产力的发展,相反,阻碍了生产力的发展。资本主义社会严重分化成两大对立阶级,即资产阶级和无产阶级,资本主义的矛盾日益尖锐化。一方面,社会财富日益集中在小部分不劳而获的资本家手中;另一方面,广大的不得不出卖自己劳动力的无产阶级却日益贫困化。

伴随着资本主义的进一步发展,无产阶级反对

---

[1]《毛泽东选集》第1卷,人民出版社1991年版,第283—284页。

资产阶级的斗争也在不断发展。时间来到19世纪40年代，在主要资本主义国家，工场手工业已经逐渐被机器大工业所替代，工业革命基本完成。与此同时，无产阶级反对资产阶级的斗争也由单纯的经济斗争发展到政治斗争，甚至在有些地方还出现了武装起义。正是在与资产阶级的斗争的过程中，无产阶级开始建立了自己的组织，并提出了明确的政治口号，由此成为一股独立的政治力量登上历史舞台。革命实践离不开革命理论的指导。工人运动的蓬勃发展呼唤科学的革命理论来武装无产阶级，使他们清醒地认识到自己的阶级利益、革命力量和未来前途，从而更好地进行革命实践活动。

正是在资本主义生产方式在主要资本主义国家中占据统治地位，同时无产阶级革命运动有了一定程度的发展的历史背景下，为了适应无产阶级革命斗争的需要，一部对人类历史产生深远影响的不朽巨著《资本论》应运而生。它凝聚了马克思的毕生精力和心血，是马克思所处的那个时代精神的精华。《资本论》是"工人的圣经"，"是向资产者（包括土地所有者在内）脑袋发射的最厉害的炮弹"。它给资产阶级以沉重打击，给无产阶级以希望和曙光，科学揭示了资本主义必然灭亡、共产主义必然胜利的客观规律，为无产阶级革命指明了正确的前进方向。

（二）写作过程

19世纪40年代初，马克思担任《莱茵报》编辑。其间，他看到普鲁士政府为了保护地主阶级的利益，制定了掠夺农民利益的"林木盗窃法"，以及关于自由贸易和保护关税等问题的辩论。这些经济问题让马克思遭遇"物质利益难题"。也就是从那时起，他就开始关注和研究经济问题。过去，马克思深信黑格尔关于国家是世界理性和普遍利益的代表的观点，而现实中，他发现经济利益的冲突往往在政治生活和社会生活中有所体现，资本主义私有制和国家政策之间存在某种联系。正是对黑格尔国家学说的疑问，促使马克思转入对国家问题的研究和对黑格尔法哲学的批判。

1843年，马克思相继完成了《黑格尔法哲学批判》和《〈黑格尔法哲学批判〉导言》的写作，其研究得出了与黑格尔相反的观点。马克思指出，法的关系正像是国家的形式一样，既不能从法的本身关系来理解，也不能把它看作人类精神发展的体现各种法的关系的根源。法的关系是人们的物质生活关系，是市民社会的反映。只有对市民社会进行解剖，才能理解资本主义经济关系，而这种解剖依托于对政治经济学的研究。1847年8月，马克思出版了《贫困的哲学》。这是马克思公开发表的第一部经济学著作，他在书中对政治经济学的对象、方法、范畴都做了新的说明。同年，马克思在参加"共产主义同盟"活动中给布鲁塞尔的德国工人做了多次讲演，后来以讲稿为基础写作了《雇佣劳动与资本》，生动阐述了资本家剥削工人的实质。

1848—1849年欧洲革命期间，马克思因参加并领导了工人运动，曾一度中断了对政治经济学的研究。革命失败后，工人运动陷入低潮。为了总结革命失败的原因，解决革命实践面临的问题，马克思于1850年来到当时资本主义世界的中心——伦敦，"从头开始，批判地仔细钻研新的材料"[1]，继续思考和研究政治经济学问题。1857—1858年，马克思写作了《经济学手稿（1857—1858年）》，这部手稿后来成为《资本论》的最初稿本。马克思在批判继

---

[1]《马克思恩格斯全集》第31卷，人民出版社1998年版，第414页。

承古典政治经济学有益成果的基础上，初步形成了科学的劳动价值论、剩余价值论和资本主义经济危机理论，为创立马克思主义政治经济学奠定了理论基础。

在写作《经济学手稿（1857—1858年）》的过程中，马克思同时制订了《政治经济学批判》的写作计划。①1859年6月，马克思出版了《政治经济学批判》。他在该书中第一次对商品、价值、货币理论做了系统而深刻的说明。1862年，马克思决定以《资本论》为标题，以《政治经济学批判》为副标题发表自己的政治经济学批判研究成果。他计划把《资本论》写成四册：第一册是资本的生产过程；第二册是资本的流通过程；第三册是总过程的各种形态；第四册是理论史。1863—1865年，马克思写作了《资本论》第一册、第二册和第三册的手稿。1866年，他着手《资本论》第一册即第1卷的

---

① 这一计划经过不断修改和完善，最后定为六册：（1）资本（包括一些绪论性章节）；（2）土地所有制；（3）雇佣劳动；（4）国家；（5）国际贸易；（6）世界市场。第一册《资本》分为四篇：资本一般；竞争；信用；股份资本。而第一篇"资本一般"又分为三部分：资本的生产过程；资本的流通过程；两者的统一，或资本和利润。这一篇的划分成为后来《资本论》三卷的雏形。

付排工作。1867年9月14日，经马克思反复修定稿的《资本论》第1卷由德国汉堡迈斯纳出版社出版。

《资本论》第1卷出版以后，马克思本来计划尽快完成《资本论》第2卷和第3卷的写作出版，然而由于种种原因这一计划最终没能实现。1883年马克思逝世后，恩格斯根据马克思遗留下的手稿，对《资本论》第2卷、第3卷进行编辑，并于1885年和1894年先后出版了这两卷著作。恩格斯曾打算整理出版《资本论》第4卷，即马克思计划完成的理论史部分，但很遗憾未能完成。后来，《资本论》第4卷经由卡·考茨基编辑和整理，以《剩余价值理论》[①]为标题，于1905—1910年分3卷出版。列宁在《弗里德里希·恩格斯》一文中曾指出，《资本论》第2卷和第3卷"是马克思和恩格斯两人的著作。古老的传说中有各种非常动人的友谊的故事。欧洲无产阶级可以说，它的科学是由两位学者和战士创造的，他们的关系超过了古人关于人类友

---

① 卡·考茨基在出版此书时，没有按照马克思的计划，把它作为《资本论》的第4卷，而是把它作为与《资本论》并立的独立著作。

谊的一切最动人的传说"①。

二、文献内容概要

(一)《资本论》第1卷

《资本论》第1卷主要研究资本直接生产过程中包括的各方面的关系,系统阐述了马克思主义政治经济学的劳动价值理论和剩余价值学说,科学揭示了资本主义剥削的实质和资本主义积累的一般规律,深刻论述了资本主义制度走向灭亡,共产主义必将来临的发展趋势。马克思指出:"在第一卷中,我们研究的是资本主义生产过程本身作为直接生产过程考察时呈现的各种现象,而撇开了这个过程以外的各种情况引起的一切次要影响。"②第1卷共有七篇二十五章,其内容大体可以分成三个部分:第一部分即第一篇商品和货币,马克思通过对商品和货币的分析,创立了科学的劳动价值理论;第二部分即第二篇到第六篇,马克思通过对剩余价值生产的分析,揭露了资本主义剥削的秘密,创立了剩余价值理论;第三部分即第七篇资本的积累过程,马克

---
① 《列宁选集》第1卷,人民出版社1995年版,第95页。
② 《马克思恩格斯全集》第25卷,人民出版社1972年版,第29页。

思通过对剩余价值资本化的研究，创立了资本积累理论。其中，剩余价值理论和资本积累理论构成了第1卷的核心要点和基本内容。

在第一篇中，马克思研究了商品和货币，他从分析商品开始，阐明在资本主义生产方式中最简单、最一般的规定就是商品。商品作为资本主义的经济细胞，包含着资本主义生产关系各种矛盾的萌芽。商品具有使用价值和价值两个因素，而这两个因素又根源于生产商品的劳动的二重性，即具体劳动和抽象劳动。具体劳动生产使用价值，抽象劳动生产价值。价值的实质是凝结在商品中无差别的人类劳动。劳动二重性理论是理解政治经济学的钥匙，商品生产的矛盾集中反映了资本主义社会中私人劳动和社会劳动的矛盾。马克思通过对价值形式的分析，揭示了货币的起源和本质，指出货币是商品生产和交换发展的必然产物，是商品交换的最后产物，也是资本发展的最初表现形式。

在第二篇至第六篇中，马克思论述了货币如何转为资本，系统阐述了剩余价值的直接生产过程。剩余价值理论揭示了资本主义经济制度的本质。马克思指出，剩余价值生产的起点是货币转化为资本，而这种转化之所以能够发生，其决定性条件就在于劳动力成为商品。劳动力的价值等于生产和再生产工人及其家属的生活资料的价值，劳动力的使用价值是劳动，它是价值的源泉。工人由于没有占有生产资料，为了生存不得不将劳动力当作商品出卖给生产资料的所有者即资本家，工人在劳动中创造的价值除补偿劳动力的价值外，剩余价值被资本家无偿占有。因此，劳动力成为商品，是剩余价值生产的根本前提条件。剩余价值的实质就是资本家对工人的剩余劳动所创造的价值的无偿占有。马克思指出，资本是能带来剩余价值的价值，是一种特殊历史阶段上的社会生产关系。

马克思在劳动二重性的基础上，进一步分析了资本主义生产过程的二重性。资本主义生产一方面是生产使用价值的劳动过程，另一方面是生产剩余价值的价值形成和价值增殖的过程。马克思分析了生产剩余价值的两种基本方式：一种是绝对剩余价值的生产，即通过延长工作时间来增加剩余价值；另一种是相对剩余价值的生产，即在工作时间不变的条件下通过提高劳动生产率和降低劳动力价值来增加剩余价值。在分析相对剩余价值生产的过程中，马克思论述了资本主义提高社会劳动生产力的三种历史形式，即简单协作、工场手工业、机器大工业，并指出机器大工业是资本主义生产方式最合适的技术基础。马克思还考察资本主义工资。就工资这个范畴来说，它在一种联系上可以属于生产范畴，在另一种联系上可以属于分配的范畴。工资是劳动力价值的转化形式，有两种基本形式，即计时工资和计件工资。通过这些分析，马克思充分揭示了工资掩盖下的资本主义剥削关系以及资本和劳动之间的对立和矛盾。

在第七篇中，马克思考察了资本的积累过程，研究了资本本身怎样被再生产出来以及它在历史上是怎样产生的。马克思首先论述了简单再生产和扩大再生产，指出简单再生产是以原有规模不断重复进行的社会生产过程，而扩大再生产是在简单再生产的基础上通过剩余价值不断资本化而使生产规模不断扩大的社会生产过程。资本主义生产过程同时也是再生产过程，资本主义再生产不仅是物质资料的再生产，也是资本主义生产关系的再生产，是资本和劳动之间的矛盾和对立的再生产。随着资本积累和生产的发展，用于生产资料的不变资本不断增加，而用于雇佣工人的可变资本不断相对缩小，从而造成过剩人口，形成庞大的产业后备军。一方面，资本家越来越富有；另一方面，工人越来越贫困。

马克思在最后考察了资本的原始积累问题。他用铁一般的事实证明，历史上劳动者被剥夺生产资料的过程决不是田园诗般的过程，而是用血与火的文字载入史册的过程。资本主义必将经历一个否定之否定的过程。其结果不是重新建立私有制，而是在协作和对土地及靠劳动本身生产的生产资料的共同占有的基础上，重新建立个人所有制。马克思根据对资本主义的基本矛盾即社会化大生产和资本主义生产资料私人占有之间的矛盾的分析，揭示了资本主义必将灭亡、共产主义必将实现的历史趋势。恩格斯在《资本论》第1卷英文版序言中指出："第一卷是一部相当完整的著作，并且二十年来一直被当作一部独立的著作。"马克思在第1卷通过对资本主义制度及其运动规律的分析，得出了"资本主义私有制的丧钟就要响了。剥夺者就要被剥夺了"的科学结论。

(二)《资本论》第 2 卷

《资本论》第二卷共三篇二十一章,主要研究了资本的流通过程和剩余价值的实现。在资本的整个运动过程中,资本的生产过程和资本的流通过程是统一的,资本的生产过程必须由资本的流通过程来补充。因此,第 2 卷是第 1 卷理论逻辑的继续,也是第 3 卷内容的引言。马克思全面考察了资本循环、资本周转和社会总资本的再生产,他把社会生产分为生产资料的生产(第 I 部类)和消费资料的生产(第 II 部类),分析了两大部类之间的比例关系和矛盾,并揭示了资本主义制度下生产无政府状态的不可避免性。

在第一篇中,马克思研究了资本的形态变化及其循环的各种形式。马克思指出,产业资本循环分为三个阶段。第一个阶段,拥有货币的资本家作为买者在市场上购买生产资料和劳动力;第二个阶段,资本家用购买的商品从事生产消费;第三个阶段,资本家作为卖者重新回到市场上出售已经生产出来的商品。由此可以看出,资本依次从一种形式过渡到另一种形式,形成了一种运动和一个经过不同阶段的循环过程。马克思分析了资本循环过程中的形态变化，指出产业资本正常运行的条件是货币资本循环、生产资本循环、商品资本循环保持统一，并且每一种循环都能顺畅地完成运行。尽管这三种循环各有特点，但都服务于价值增殖这个共同目的。只有实现这三种循环的统一，才能保证总过程的连续性。由于资本主义生产具有对抗性并处于无政府状态，因此这种连续性不断遭到破坏。

在第二篇中，马克思考察了资本周转，即单个资本的周而复始、不断往复的循环过程。他指出，资本主义生产的目的是获得剩余价值，也就是使预付资本得到增殖。因此，要分析资本周转就必须研究预付资本的周转，即研究单个资本家总预付资本量的运动。资本周转的核心问题是周转速度，资本周转速度的快慢直接影响了剩余价值的生产和实现。在支付同样多的预付资本的情况下，资本周转速度越快，其带来的剩余价值也就越多。马克思说明了周转时间的构成和周转次数的计算方法，并指出由于周转方式和周转时间的差异，生产资本可以分成固定资本和流动资本。固定资本和流动资本的构成是影响资本周转速度的重要因素。固定资本的寿命和周期更新构成了危机周期性的物质基础。

在第三篇中，马克思考察了社会总资本的再生产和流通，阐述了社会再生产是以什么形式和在哪些条件下不断反复进行的。马克思指出，资本的再生产过程既包括资本的生产过程，也包括资本周转和资本循环，并在此基础上进一步阐明社会总资本简单再生产和流通的基本规律。在去除阻碍再生产按原有规模进行的干扰因素之后，再生产只存在两种情况：一种是简单再生产，再生产按原有的规模进行；另一种是扩大再生产，出现剩余价值的资本化。前者是后者的基础和重要组成部分。马克思在分析简单再生产的一般要素时指出，在每一场合，各部门之间必须保持一定的数量比例关系。因此，有支付能力的需求下降必然导致生产下降，周期性的危机必然导致生产规模的缩小。

马克思批判了亚当·斯密在社会总资本再生产分析上的两个错误观点：第一，他认为社会总资本的产品价值最终只分解为两个部分，那就是可变资本（v）和剩余价值（m），从而把不变资本价值（c）丢掉了；第二，他认为工人的收入来源于可变资本，从而把资本和收入混为一谈，把可变资本和工人的生活资料等同起来。与亚当·斯密不同，马克思将社会总生产分成两大部类，第一部类是生产资料的生产，第二部类是消费资料的生产。他指出，研究社会总资本的流通过程，必须分析价值方面的补偿，同时也要分析物质方面的替换。不仅要分析资本如何从价值方面和物质方面来补偿和替换，同时也要分析工人和资本家的个人消费品这两种补偿和替换的相互交错的关系。马克思认为，社会生产两大部类中每一部类的年总产品的价值由消耗的不变资本、可变资本和生产出来的剩余价值组成，第一部类供给第二部类以生产资料并满足自己对生产资料的需要，第二部类供给第一部类以生活资料并满足自己对生活资料的需要。社会总产品能否顺利实现，归根到底取决于各生产部门是否按客观的比例进行生产和交换。在资本主义条件下，由于生产资料私人占有和生产的无政府状态，社会总资本的再生产是在资本主义周期性经济危机中完成的。

总的来说，《资本论》第2卷起到了承上启下的作用。第2卷所研究的资本，同第1卷一样，只限于产业资本，这里也仍然只有产业资本家和雇佣工人之间的阶级对立。但是，由于第2卷的研究已经进入资本流通领域,而资本既是生产资本又是流通资本,剩余价值表现为不仅是生产过程的结果,也是流通过程的结果。这样,剩余价值以其转化形式即利润出现了。同时,马克思揭示了资本在其循环过程中的不同形式,经历的不同阶段,这些不同的形式和不同的阶段呈现出分离和独立化的可能。因此,第2卷研究的问题,为第三卷拉开了序幕。

(三)《资本论》第3卷

《资本论》第3卷研究的是资本主义生产的总过程。所谓总过程,就是生产过程和流通过程的统一。马克思在第三卷的开头指出:"在第一册中,我们研究的是资本主义生产过程本身作为直接生产过程考察时呈现的各种现象,而撇开了这个过程以外的各种情况引起的一切次要影响。"但是,这个直接的生产过程并没有结束资本的生活过程。在现实世界里,它还要由流通过程来补充,而流通过程则是第二册研究的对象。在第二册中,特别是在把流通过程作为社会再生产过程的中介来考察的第三篇中指出:"资本主义生产过程,就整体来看,是生产过程和流通过程的统一。至于这个第三册的内容,它不能是对于这个统一的一般的考察。相反地，这一册要揭示和说明资本运动过程作为整体考察时所产生的各种具体形式。资本在自己的现实运动中就是以这些具体形式互相对立的。"[1]马克思通过对资本主义生产的总过程的各种具体形式的研究，阐明了平均利润和生产价格的形成过程，分析了剩余价值的不同表现形式以及全部剩余价值在产业资本家、商业资本家、信贷资本家和土地所有者之间的分配，并指出在资本主义条件下，工人不仅受直接雇佣他的资本家的剥削，而且受整个资本家阶级的剥削，因此工人想要摆脱被剥削的地位，就必须推翻整个资本主义制度。

第3卷是《资本论》理论部分的完结卷，共七篇五十二章。在第一篇中，马克思研究了剩余价值和剩余价值率的转化形式，即利润和利润率，揭示和说明利润率的本质及其变化的各种因素。马克思指出，资本主义生产方式的商品价值在社会表面上表现为成本价格与利润之和，在成本价格中不变资本与可变资本的区别消失了，这就造成了一种假象，似乎生产中发生的价值变化不是来自可变资

---

[1]《马克思恩格斯文集》第7卷，人民出版社2009年版，第29页。

本，而是来自预付的全部资本，这样，剩余价值率就转化为利润率，而剩余价值就转化为利润，这就掩盖了剩余价值的起源和存在的秘密。

在第二篇中，马克思主要考察了剩余价值通过利润转化为平均利润、价值转化为生产价格，说明了各个生产部门的不同的利润率是如何平均化的，揭示了这种转化形式是如何将利润和剩余价值之间的本质联系掩盖起来的。马克思指出，通过竞争，资本在不同部门间发生转移，由此个别利润率转化为平均利润率，个别利润转化为平均利润，等量资本获得等量利润。在平均利润率的前提下，商品价值转化为生产价格，后者等于成本价格加上平均利润。生产价格形成后，商品的市场价格不再以价值为中心而是以生产价格为中心上下波动，从而使价值规律的作用在形式上发生变化。

在第三篇中，马克思研究了利润率趋向下降的规律，并在此基础上揭示资本主义生产方式的基本矛盾。一方面，随着资本主义社会生产力的发展，资本对劳动的剥削也在不断加强，而剩余价值的绝对量相应增大，其相对量即剩余价值率也在增长。但另一方面，利润在其绝对量增加的同时，其相对量即利润率却呈现下降的趋势。马克思指出，利润率趋向下降的规律，是资本积累规律的具体表现。第1卷只揭示资本积累的历史趋势，一方面造成大量过剩失业人口，工人阶级日益贫困化；另一方面造成资本积聚和集中，大量社会财富被少数资本家垄断。马克思在第3卷中进一步揭示，受利润率趋向下降规律的影响，社会上出现大量的过剩资本。这些过剩资本是资本输出的物质基础和重要前提。这表明资本主义生产关系同生产力的矛盾日益尖锐化，而最终将导致资本主义生产方式基本矛盾激化，出现周期性的经济危机。

在第四篇中，马克思阐明了商品资本和货币资本向商品经营资本和货币经营资本的转化，探讨了商业资本的由来及其特征。商业资本是产业资本派生形成的，是产业资本的买卖职能独立化的结果。商业资本主要有两种形式：一种是商品经营资本，另一种是货币经营资本。商业资本有助于产业资本缩短流通时间、扩大市场、降低流动费用，从而间接增大产业资本生产的剩余价值。尽管商业资本不直接创造价值，但是参与利润的平均化。商业利润是对产业利润的扣除。

在第五篇中，马克思研究了货币资本到生息资本的转化及相关问题。所有这些问题的研究，都是围绕着生息资本和利润分解为利息和企业主收入这个轴心进行的。对生息资本的研究，使资本的基本构成得到新的说明，获得更丰富的内容和新的定义。生息资本作为货币资本的独立化形式，它不仅是产业资本派生的资本形式，而且是商业资本派生的资本形式，是次要的派生资本。生息资本的利息不是来自剩余价值的直接扣除，而是来自平均利润的扣除。生息资本的出现，使资本分裂为"资本—职能"和"资本—所有权"，而利润则相应地分裂为企业主收入和利息，并在商品市场和劳动市场之外，又造成一个资本市场，从而出现了专门经营资本的新型企业，即庞大的银行网和证券交易所等。生息资本不仅同生产，而且同流通都不直接发生联系；在利息形式上的一部分利润，同该剩余价值的一切联系也都已经消失了，这就使资本关系获得最充分的表现和最严重的歪曲，以致更加神秘化了。

在第六篇中，马克思阐述了资本主义条件下的地租。地租是土地所有者凭借土地所有权而获得的收入，是土地所有权在经济上的实现形式。资本主义地租是租佃资本家使用土地所有者的土地而交纳的、由雇佣工人创造的、超过平均利润以上的那部分剩余价值,体现了土地所有者和租佃资本家分割剩余价值、共同剥削雇佣工人的关系。在资本主义社会,地租分为级差地租和绝对地租。级差地租产生于土地经营的垄断,其源泉是产品的个别生产价格低于社会生产价格而获得超额利润。而绝对地租产生于资本主义土地私有权的垄断。其源泉是农产品价值超过生产价格而形成的超额利润。

在第七篇中,马克思围绕对资本主义制度下各种收入及其源泉的分析,论证了资本主义生产关系和分配关系的内在联系,揭示了资本主义社会的阶级结构和阶级斗争规律。资产阶级政治经济学把资本主义条件下的各种收入归结为:工人通过劳动获得工资,资本家通过资本获得利润,土地所有者通过土地获得地租。马克思揭开了其背后掩盖的秘密,指出这三种收入都源于工人创造的价值和剩余价值。马克思指出,资本主义分配关系的性质是由资本主义生产关系及所有制关系的性质决定的。与三种收入形式相对应的是三个社会阶级,即工人阶级、资产阶级和土地所有者阶级。这种分配关系和分配形式背后存在着阶级对立和阶级斗争，将促使资本主义生产方式最终瓦解。

总而言之，《资本论》第3卷是《资本论》这部巨著在理论部分的完结卷，也是全书理论的全面展开，是从抽象上升到具体的最高峰，为马克思主义政治经济学奠定了牢不可摧的坚实基础，使政治经济学发生了完全、彻底的革命。正如恩格斯所指出的那样，第3卷是全书最后戴着王冠的部分。卓越的出色的学术成就，将给人以雷鸣闪电般的印象，完全驳倒了全部官方的资产阶级经济学。

三、研究范式

（一）恩格斯对《资本论》整理和研究

由于马克思和恩格斯的特殊关系和伟大友谊，恩格斯见证了马克思创作《资本论》的背景和过程，也对《资本论》中的观点有相当程度的理解和把握。1883年3月14日马克思逝世时，《资本论》只出版了第1卷，第2卷、第3卷的出版工作以及第1卷的再版工作自然就落在了恩格斯的肩上。此后的十多年里，恩格斯整理和研究了马克思的遗稿，也通过《反杜林论》《家庭、私有制和国家的起源》《路德维希·费尔巴哈与德国古典哲学的终结》《自然辩证法》等一系列著作以及晚年的书信阐发了自己对包括《资本论》在内的马克思著作的理解和研究。

恩格斯的著作成为后人了解和研究马克思思想的重要参考，但也引发了马恩思想是否一致的争论。在这场争论中，一派认为恩格斯与马克思的思想是一致的，另一派则认为恩格斯对马克思遗稿的整理和研究工作是思想上的倒退。笔者认为，恩格斯整理和研究马克思遗稿有当时特定的历史环境和斗争需要，因此对遗稿的整理和研究必然会有所突出和强调。此外，后来的研究者们能否完全理解和领悟恩格斯的著作中对马克思思想的整理和研究成果尚需讨论。且目前尚无证据证明恩格斯有意曲解和篡改包括《资本论》在内的马克思遗稿中的思想。

(二)《资本论》研究的苏联范式

列宁既是《资本论》的专家又是《资本论》的积极宣传者，他对《资本论》的经典论断是："马克思没有留下逻辑，但他遗留下了资本论的逻辑，应当充分地利用这种逻辑来解决当前的问题。在

《资本论》中，逻辑、辩证法和唯物主义的认识论不必要是三个词，它们是同一个东西，都应用于同一门科学，而唯物主义则从黑格尔那里吸取了全部有价值的东西。"[1] 以1922年的"哲学船"事件为标志，新生的苏维埃政权在经历严酷的国内外斗争后逐步加强对意识形态领域的管控。其后"正统派"和"德波林派"进行了两次哲学论战，苏联进一步将马克思主义哲学以原理的形式统摄入教科书。其中这一时期的代表性著作是"1922年出版的萨拉比扬诺夫编写的《历史唯物主义》和1925年出版的高列夫编写的《历史唯物主义概要》以及列宁的《哲学笔记》"[2]。这一时期苏联虽对包括《资本论》在内的马克思著作的解读带有意识形态管控的色彩，列宁对于《资本论》的解读也逐渐成为最高权威，但相对自由，在教科书上"自由出版、内容丰富，教员也可以自由选择教材"[3]。

随着1938年11月联共（布）中央通过的决议，

---

[1] 列宁：《哲学笔记》，人民出版社1993年版，第290页。
[2] 张科晓：《苏联〈资本论〉研究的演进轨迹及其启示》，载《理论月刊》2016年第1期。
[3] 黎学军：《苏联哲学教科书的演进轨迹》，载《社会科学辑刊》2008年第4期。

苏联对意识形态的管控达到顶峰，斯大林亲自参与编写的《联共（布）党史简明教程》成为官方唯一认可的教科书，至此苏联教科书模式完全成型。但在政治的高压下依然有部分学者出版了颇有影响的参考书，如1948年列昂诺夫著的《辩证唯物主义概论》、1951年罗森塔尔著的《马克思主义的辩证法》以及他在1955年著的《马克思〈资本论〉中的辩证法问题》在很大程度上推动了后斯大林时代苏联学界对《资本论》的研究。

此外，苏联时期还有许多非常有影响的研究《资本论》的著作，如"瑟罗夫的《论十九世纪五十年代初期马克思与制定劳动价值理论有关的经济研究》、伊林柯夫的《马克思〈资本论〉中抽象和具体的辩证法》、缪勒的《通往〈资本论〉的道路——1857—1863年马克思的资本概念的发展》、苏共中央马克思列宁主义研究院所编写的《围绕马克思〈资本论〉所进行的思想斗争史概论·1867—1967》、苏联科学院哲学研究所编写的《〈资本论〉哲学与现时代》。此外，还有苏联最著名的《资本论》文献和思想研究专家维·维格茨基，他的代表作有《马克思列宁主义的牢固基础》《政治经济学批判大纲〉中研究方法和叙述方法的交织》《卡尔·马克思的一个伟大发现的历史·论〈资本论〉的创作》《恩格斯论马克思〈资本论〉的创作问题》等等"[1]。

苏联研究《资本论》的范式带有浓重的意识形态色彩，希望能在《资本论》中为苏联的政策找到理论支撑，过分地强调其普适性，过度压制异己观点，束缚了对《资本论》的研究自由。但苏联在《资本论》的研究中做出了历史性的贡献，进一步整理和丰富了《资本论》的文献，研究和传播了《资本论》，形成了独特的解读视角和分析模式，也培养了大量研究《资本论》的学者。

(三)《资本论》研究的西马范式

1923年，卢卡奇的《历史与阶级意识》出版，这部著作后来被认为是"西方马克思主义"的开山之作。卢卡奇特别强调《资本论》中"总体性"方法对于马克思把握和了解资本主义的重要意义。他提出了一条"既不同于第二国际的'经济决定论'又不同于列宁的唯物主义'反映论'的'发展马克

---

[1] 聂锦芳：《〈资本论〉哲学思想研究的学术史清理》，载《学习与探索》2013年第1期。

思主义'的路线"[①]。西方马克思主义逐渐发展成为一种社会思潮，形成了诸多派别，其中将马克思主义解释为一种社会批判理论的法兰克福学派影响较大，他们参考《资本论》，剖析和批判了当代资本主义社会的一系列问题。

西方学界对于《资本论》的解读和研究更多的是为从《资本论》中获取"更新和发展了的黑格尔的辩证法和方法论"来解释和批判当代资本主义经济和社会的问题，尤其是在西方爆发经济危机时，这一倾向更为明显。

（四）《资本论》研究的东欧范式

随着苏联模式的确立和其在东欧的影响持续扩大，东欧出现了"新马克思主义"，他们基于东欧的社会主义实践，对苏联模式进行了批评，阐发了马克思的人道主义，并研究了社会主义社会中的"异化"问题。其中比较有影响力的学派有："匈牙利的'布达佩斯学派'、波兰的'哲学人文学派'、南斯拉夫的'实践派'、捷克的'存在人类学派'。"[②]

[①][②] 聂锦芳：《〈资本论〉哲学思想研究的学术史清理》，载《学习与探索》2013年第1期。

由于东欧各国的实际情况不同，因此东欧各国对《资本论》的解读和研究的视角和侧重点也不尽相同，但它们都面临着苏联模式的影响，对《资本论》的研究都强调摆脱苏联模式的干扰，反对将《资本论》研究教条化。

（五）国内学界对《资本论》的研究

1899年4月的《万国公报》第123期上提到了马克思和《资本论》，随后在《民报》等报纸上亦有对马恩生平及《资本论》大致内容的介绍。1919年，李大钊在其《我的马克思主义观》一文中介绍了《资本论》的基本思想，并积极推动《资本论》在中国的传播。出版于1938年，由郭大力和王亚南翻译的《资本论》是中译本中较为经典的版本。

中华人民共和国成立后，几代马克思主义研究者对《资本论》进行重新考证、翻译、整理和研究，也涌现出了许多著名的《资本论》研究学者：孙冶方、陈岱孙、卫兴华、程恩富、顾海良、洪银兴、白暴力、孙伯鍨、王东、孙正聿、张一兵、曹凤岐、唐正东等。这些学者著作良多，他们从不同的视角对《资本论》进行深入的研究，诸如：创作史、哲学思想、劳动价值论、剩余价值论、资本逻辑、方法论、危机理论、现代性。

总体而言，经过几代马克思主义学者的努力，国内对《资本论》的研究视角众多、成果丰硕。但也存在着将马克思的理论生硬地分成马哲、政经和科社三大块的现象，对于马克思手稿的研究也不够深入，同时缺乏与国外研究《资本论》学者的广泛交流。

四、焦点问题

（一）《资本论》的起点问题

1.商品何以成为《资本论》的研究起点

选择科学合理的研究起点，对构建科学理论体系至关重要。那么，科学合理的研究起点应具备哪些条件？乐和平认为："作为逻辑起点，必须具备三个主要特征：①必须是整个研究对象中最简单、最基本、最普遍的东西；②本身所包含的内在矛盾是以后整个发展过程中一切矛盾的萌芽；③必须与研究对象的历史起点相一致。"[①] 马克思是如何选择《资本论》的研究起点的？

---

① 乐和平：《浅论〈资本论〉的逻辑起点》，载《广西师范大学学报》（哲学社会科学版）1994年第2期。

马克思在《资本论》中写道："资本主义生产方式占统治地位的社会的财富，表现为'庞大的商品堆积'，单个的商品表现为这种财富的元素形式。因此，我们的研究就从分析商品开始。"[1] 在这里，马克思只是简单地阐述了为什么会选择"商品"作为《资本论》的研究起点，而恩格斯的解释则更为充分和详细。

恩格斯在《资本论》的第三卷的序言中解释了为什么马克思从"商品"开始研究："但是，不言而喻，在事物及其互相关系不是被看作固定的东西，而是被看作可变的东西的时候，它们在思想上的反映、概念，会同样发生变化和变形；它们不能被限定在僵硬的定义中，而是要在它们的历史的或逻辑的形成过程中来加以阐明。这样，我们就会明白，为什么马克思在第一册的开头从他作为历史前提的简单商品生产出发，然后从这个基础进到资本——为什么他要从简单商品出发，而不是从一个在概念上和历史上都是派生的形式，即已经在资本主义下变形的商品出发。"[2] 从恩格斯的话中我们

---

[1] 马克思：《资本论》第1卷，人民出版社2004年版，第47页。
[2] 马克思：《资本论》第3卷，人民出版社2004年版，第17页。

不难了解到，马克思在选择《资本论》的研究起点时是运用辩证法来看待事物的，他用历史和发展的眼光来看待资本主义的发展和变化，所以其研究的起点就选择了资本主义经济中的"细胞"或者"元素"，从最基本但却包含资本主义一切矛盾和冲突的萌芽的"商品"开始，并用"抽象力"来分析商品，"因为已经发育的身体比身体的细胞容易研究些。并且，分析经济形式，既不能用显微镜，也不能用化学试剂。二者都必须用抽象力来代替"①。其实，这种从抽象到具体的思想是马克思从黑格尔那里批判地继承过来的，也是逻辑、认识论和辩证法三者的统一。

周守正在其《马克思〈资本论〉的逻辑开端的研究》一文中写道："马克思批判继承并且彻底改造了黑格尔的逻辑开端理论。他汲取了黑格尔的从抽象到具体等合理思想，把逻辑、唯物论的认识论、唯物辩证法三者统一起来，创立了自己的科学的逻辑开端理论。并且依此确立以商品为开端的《资本论》的逻辑体系，即由商品、货币、资本、

---

① 马克思：《资本论》第1卷，人民出版社2004年版，第8页。

剩余价值等一系列经济范畴构成的逻辑体系。"[1]可见,周守正认为马克思是基于将逻辑、唯物论的认识论、唯物辩证法三者统一的思路而选择"商品"作为《资本论》的研究起点。潘正文也持类似观点:"《资本论》的逻辑、辩证法和认识论三者的一致性,首先表现在从商品分析开始这一点上。任何哲学体系都蕴藏着整个体系实质性的东西。《资本论》的起点——商品,以'胚胎'的形式孕育着整部《资本论》三者一致性,并随着体系的展开而不断充实和丰富起来。因而,它是《资本论》三者同一性的起点。"[2]

有些学者认为,马克思将"商品"作为《资本论》的研究起点不仅是对黑格尔的批判继承,也是对古典经济学家和庸俗学派思想的批判继承。如丁堡骏和王金秋认为,马克思之所以将《资本论》的逻辑起点定位于商品是吸收了黑格尔抽象法的合理内核,即一门科学体系应开端于最简单的范畴,同

---

[1] 周守正:《马克思〈资本论〉的逻辑开端的研究》,载《河南师大学报》(社会科学版)1982年第6期。
[2] 潘正文:《从〈资本论〉的起点看逻辑、辩证法、认识论的一致性》,载《中山大学学报》(哲学社会科学版)1983年第1期。

时马克思又抛弃了黑格尔抽象法中的唯心主义成分：将开端绝对抽象化。同时马克思还批判了斯密和李嘉图等古典政治经济学家们将资本主义生产方式看作永恒的生产方式这种缺乏历史观的错误观点，批判了他们形而上学的非历史观的方法论，对古典政治经济学的逻辑起点进行了变革。此外，他们认为按照马克思的学说，阿·瓦格纳等庸俗经济学家们混同了价值和使用价值，又将作为"逻辑的"概念的使用价值和作为"历史的"概念的交换价值对立起来，所以庸俗经济学家们不能科学地解决逻辑起点问题。因此，他们认为"马克思在批判继承黑格尔、古典经济学和庸俗经济学思想的基础上，运用科学的抽象法成功地解决了《资本论》的逻辑起点问题"[1]。

既然《资本论》是从单个的抽象的资本出发，研究了资本的生产过程、流通过程和资本主义生产的总过程，那么为什么马克思最终选择了"商品"而非"资本"作为《资本论》的研究起点呢？左照平解释道："《资本论》不是就资本论资本，而是从

---

[1] 丁堡骏、王金秋：《〈资本论〉的逻辑起点及当代意义》，载《经济纵横》2015年第1期。

历史上考察资本,从资本的历史成因上考察资本的。资本作为叙述资本主义生产方式逻辑体系的起点和最抽象范畴,是一个被历史规定了的概念。没有这个规定,会使人们感到体系是由概念开始的,是一个先验的结构。"[1]因此,应该找一个比"资本"更古老、更抽象、更具有一般性的范畴来作为《资本论》的研究起点,即"商品"。由此,马克思也可以沿着商品—货币(固定充当一般等价物的商品)—资本的逻辑路线一步步展开自己的分析和研究。

综上,学者们对马克思选择"商品"作为《资本论》的研究起点的原因虽然有不同的分析,但分歧不大,基本上都认为马克思是在批判地继承前人研究成果的基础上,基于逻辑、认识论和辩证法相统一的思路,基于历史和逻辑相统一的基本原则,最终确定将"商品"这个最简单、最基本但却包含资本主义经济所有矛盾和冲突萌芽的范畴作为《资本论》的研究起点。

---

[1] 左照平:《试论〈资本论〉的逻辑起点》,载《温州师范学报》(哲学社会科学版)1990年第3期。

2.研究起点商品的性质

《资本论》的研究起点是商品,商品是用来交换的劳动产品,那么作为《资本论》研究起点的商品又具有哪些性质呢?它是资本主义商品,还是属于前资本主义时代的简单商品?还是各个社会形态共有的商品一般?抑或有其他的解释?目前学界对这一问题尚无定论。

罗雄飞教授认为,马克思在《资本论》的第一版序言中就强调了《资本论》是以资本主义生产方式以及和它相应的生产关系和交换关系为研究对象,马克思还强调自己的目的是解释现代社会的经济运动规律。因此,他认为"《资本论》的研究对象仅仅是资本主义社会这一有机体的商品生产"。"因此,其逻辑起点尽管以反思的方式包含着历史的因素,其真正的起点只能基于资本主义生产。"[1] 因此,罗雄飞教授认为作为《资本论》逻辑起点的商品是资本主义商品。他认为,长期以来学者们难以就该问题达成一致是由于"恩格斯'引导'人们按历史的思路解读《资本论》"[2]。持类似观点的

---

[1][2] 罗雄飞:《论〈资本论〉的逻辑起点》,载《政治经济学评论》2014年第1期。

还有葆良教授，他在1964年1月20日的《光明日报》上撰文写道："商品作为《资本论》中的一个重要范畴，当然也只能是资本主义社会现实关系的一个方面的反映，因而也只能是资本主义社会中的商品。""马克思只不过是在思维中暂时把资本主义关系抽象掉，而在纯粹的、简单的形态上进行逻辑分析，研究资本和剩余价值的基础——商品和价值。"①

卫兴华教授不同意罗雄飞教授的观点，他认为"从《资本论》第一卷前几章的体系结构也可以看出：第一篇的内容还没有涉及资本主义生产，因而不能认为这里讲的商品是资本主义商品"。"马、恩讲'简单商品生产'，就是指非资本主义的、在资本主义前就存在的简单商品生产。"②"研究'简单商品'或'简单商品生产'，等于是研究商品一般或者商品生产一般，研究这种简单的商品形式或者商品一般形式，也就是要研究资本主义经济的细胞形

---

① 葆良：《也谈〈资本论〉的研究起点》，载《光明日报》1964年1月20日。
② 卫兴华：《〈资本论〉第一卷第一篇商品的性质》，载《学术月刊》1982年第1期。

式，或资本主义财富的元素形式。三者的关系不是对立的，而是可以统一的。"①由此可见，卫兴华教授认为作为《资本论》研究起点的商品并不是资本主义商品而是简单商品，具体地说就是前资本主义商品或者说是作为资本主义历史前提的简单商品。王亚南教授也持类似观点，他在《〈资本论〉研究》一书中指出："这里开头所讲的商品，还不是资本主义生产方式下的商品，不是当作'资本的生产物的商品'，而是当作'资本所由发生的前提的商品'"。②

当然，也有学者认为《资本论》的研究起点既不是罗雄飞教授所说的资本主义商品，也不是卫兴华教授所说的前资本主义的商品。马克思在《资本论》第1卷的序言中说道："万事开头难，每门科学都是如此。所以本书的第一章，特别是分析商品的部分，是最难理解的。"③他解释道："因为已经发育的身体比身体的细胞容易研究些。并且，分析经

---

① 卫兴华：《〈资本论〉的研究对象、结构和学习的意义》，载《当代经济研究》2002年第11期。
② 王亚南：《〈资本论〉研究》，上海人民出版社1978年版，第48页。
③ 马克思：《资本论》第1卷，人民出版社2004年版，第7页。

济形式，既不能用显微镜，也不能用化学试剂。二者都必须用抽象力来代替。"①据此，有学者认为作为《资本论》研究起点的商品是马克思用"抽象力"抽象掉资本主义性质的商品一般。例如俞明仁认为"马克思用的是抽象法，他在这里分析的商品，是先把资本主义性质舍弃掉，先把资本主义性质撇开的简单商品"②。持类似观点的有胡培兆教授，他的观点更为清晰："《资本论》研究起点的商品，既不单是前资本主义的商品，也不单是资本主义商品，而是各社会形态共有的商品一般，是从原始社会后期就萌发的，奴隶社会、封建社会和资本主义社会就存在的各种商品中抽象出来的、简单的、一般的商品。"③

另外，有学者从历史和逻辑相统一的角度来看待作为《资本论》研究起点的商品。丁堡骏和王金秋认为，作为《资本论》逻辑起点的商品"不仅是逻辑的成分，而且包含历史的因素"。"既可以看成

---

① 马克思：《资本论》第1卷，人民出版社2004年版，第8页。
② 俞明仁：《〈资本论〉讲解》，浙江人民出版社1981年版，第18页。
③ 胡培兆：《〈资本论〉研究起点的商品是什么商品》，载《福建论坛》1983年第1期。

是资本主义商品抽掉了资本关系剩下的一般商品，也可以看作历史上存在的作为资本主义历史前提的简单商品。"①王金秋更明确的阐述是："从逻辑过程来看，《资本论》的逻辑起点是商品一般；从历史过程来看，《资本论》的逻辑起点是历史上的简单商品。"②

综上所述，学者们尚未在《资本论》起点的问题上达成一致。笔者认为，首先，将"商品"看作《资本论》的"研究起点"比"逻辑起点"更为合适。"逻辑起点"只能理解为马克思在写作《资本论》时逻辑发端于商品，而《资本论》中浸透了历史与逻辑相统一的方法论，单纯地强调"逻辑起点"不能充分地理解"商品"在《资本论》中的起点角色。当然，如果只是将"商品"作为《资本论》"逻辑起点"来单独研究则另当别论。其次，如何理解作为《资本论》研究起点的"商品"？笔者倾向于王金秋的观点，从逻辑的角度看，《资本论》

---

① 丁堡骏、王金秋：《〈资本论〉的逻辑起点及当代意义》，载《经济纵横》2015年第1期。
② 王金秋：《〈资本论〉逻辑起点商品的性质：三种代表性观点述评》，载《当代经济研究》2017年第6期。

的研究起点是商品一般,也即胡培兆教授所言的"各社会形态共有的商品一般",从历史的角度看,《资本论》的研究起点是简单商品,即卫兴华教授所言的"非资本主义的、在资本主义前就存在的"简单商品。

(二)关于劳动价值论和剩余价值论的理论争论

自《资本论》诞生以来,关于劳动价值论和剩余价值论的争论就一直不断,本文对学者们就劳动价值论和剩余价值论的争论做简单的梳理。

1.学界对劳动价值论的理解和争论

(1)西方学者对马克思劳动价值论的"补充"和质疑。顾海良老师的《百年论争》对20世纪西方学者对马克思经济学研究做了系统性的阐述,下文参考此书简要梳理西方学者关于劳动价值论的争论。

"以所谓'补充'的方式对马克思劳动价值论做出探讨,是20世纪西方学者对马克思经济学论争的重要取向之一。这些'补充'探讨的主要特点在于:第一,探讨者以对马克思经济学'中立'的观点,对马克思经济学不抱有阶级立场上的褒贬来论述和探讨马克思的价值理论,在很多场合还寻找马克思经济学与西方主流经济学之间的'沟通'和对话。第二,以'学术性'的研究为特征,更多地运用一些现代方法论,其中包括许多现代的非经济学的方法论来寻求对马克思价值理论的新的见解。其中,也有运用现代西方主流经济学的方法和理论来'重新理解'马克思的价值理论。第三,关注与马克思劳动价值论相关的一些理论,如工资、家庭劳动、自由时间等问题,试图以此对马克思劳动价值论做出一些适合现代社会需要的新的见解。"[1]

冯·魏茨泽克1973年在《经济学杂志》上发表了《森岛通夫论马克思》一文,对森岛关于马克思经济学的劳动价值论、剥削理论、转型问题、再生产图式和"资本与价值"等五个问题进行了评析。他试图为马克思主义者和正统经济学家之间的对话做出贡献,为此,他对马克思劳动价值论进行了"补充"。魏茨泽克认为无产阶级的存在是资本回报率为正和市场价格与商品的价值存在差异的必要条件。以任何给定的利润率确定的价格,可以理解为就业乘数或体系中的社会必要劳动量,在该体系

---

[1] 顾海良、常庆欣等:《百年论争——20世纪西方学者马克思经济学研究述要》,经济科学出版社2015年版,第193页。

中，增长率等于利润率。森岛认为马克思的价值在行业加总方面具有比价格更稳定的权重。而魏茨泽克则质疑森岛的这一观点，他认为森岛的参数并不能证明马克思的价值理论在加总中有特殊的作用。对于马克思认为资本主义积累过程极不稳定这一观点，魏茨泽克认为森岛在分析该问题时使用的模型太过简单，他认为马克思的价值理论虽然对于现代经济学家来说显得较为笨拙，但在讨论剥削的问题上却有一定优势。

哈维于1983年在《社会研究》上发表了《对马克思劳动力价值理论的评论》一文，文中他对马克思的劳动价值论与劳动力价值和工资理论进行了探讨。哈维认为，马克思的劳动价值论在应用于劳动力和工资之间的交换时是有自相矛盾之处的；如果按马克思所说劳动是价值唯一的资源，那么，无论劳动是否以工资的形式被直接购买，还是已经物化在商品中，一定数量的劳动都应该拥有同样的价值。他认为，马克思的工资理论存在三种明显不同的形式。第一种是以一种简单的劳动价值理论的扩展去分析工资合约，第二种是马克思认为劳动力价值取决于生产成本而不是它的劳动内容，第三种是马克思认为在一定程度上，劳动力价格是阶级斗争力量对比的结果，由此马克思得出了劳动力价值的阶级斗争理论。哈维认为，马克思的劳动力价值理论被认为是部分正确的。

索厄尔1963年在《经济学》上发表了《马克思价值理论的再思考》一文，他在文中论述了马克思的劳动价值论和经济学分析框架。他认为关于劳动价值论只是试图建立一种产量指数以及劳动价值论不过是将工人阶级描述为"受剥削阶级"的宣传工具的两种猜测都是不对的。他认为，用劳动时间衡量的价值是最糟糕的产量指数之一，尤其是在马克思强调的节省劳动的创新体系中。至于马克思所说的"剥削"，是人对人的剥削，而不是一种生产要素对另一种生产要素的剥削。

嘉莉·马特哈伊1983年在《东部经济学杂志》上发表了《马克思经济学中的自由与非自由》一文，对马克思劳动价值论和自由问题进行了探讨。马特哈伊认为马克思的劳动价值论不能从理论说明经济当事人在市场上消费组合和劳动的行为，即不能说明自由。马特哈伊认为马克思的理论无法令人满意地处理不同消费模式和劳动阶级中存在的与各种政治和文化身份相关联的现象。因此，只有放弃马克思的劳动价值论，才可以研究这些现象。而阿玛尔戈里和克拉雷在他们1986年发表的《马克思经济学和自由：一个评价》一文中，表示不同意马特哈伊的观点，他们认为马克思的价值理论与市场中的选择和不同的政治文化身份是完全相兼容的。

萨缪尔森认为劳动价值论存在三个缺陷：第一，劳动价值论中劳动力是生产中唯一稀缺资源，但这种状态早已不存在了。第二，劳动力并不是完全同质的，虽然李嘉图和马克思都企图克服这一障碍，然而劳动单位在现实生活中最多只能以粗略的形式起作用。如果缺少瓦尔拉斯的一般均衡条件，几乎不可能有什么结果。第三，劳动价值论中忽略时间的作用，但在现实的经济中，时间就是金钱，资金的时间成本利率也不会等于零。当然，萨缪尔森提到的劳动价值论并非独指马克思的劳动价值论，而是针对斯密、李嘉图、马克思等理论中的劳动价值论。

（2）国内学者关于马克思劳动价值论的历次论争。中华人民共和国成立以来，随着国内学者们对《资本论》研究的深入，关于劳动价值论的争论一直不断,有学者对此进行了梳理。

张万余[①]认为,中华人民共和国后关于劳动价值论的争论主要有五次。第一次争论发生在20世纪50年代中后期,讨论的主题是什么是价值以及价值规律如何发挥作用。其中代表性文献是孙冶方的《论价值》一文,孙冶方在文中积极倡导价值规律的内因论和商品生产外因论,这种观点有别于苏联《政治经济学教科书》关于劳动价值论的观点,因此引发了第一次关于劳动价值论的大争论。这次争论主要集中在两个方面,即:在价值和价值规律的问题上,从当时的全民所有制来看,是否需要价值这个范畴,价值规律在全民所有制内部是否发挥作用以及脑力劳动和知识分子劳动是否是生产性劳动,是否创造价值。

第二次争论发生在20世纪80年代初,讨论的主题是生产性劳动和非生产性劳动。基于十一届三中全会后我国开始改革开放的历史背景,价值规律开始在社会经济生活中逐渐显现作用,学界和普通群众都开始追问何种劳动形成价值。于光远认为,

---

① 张万余:《马克思劳动价值论的历史争论与现实扩展》,载《甘肃社会科学》2012年第3期。

不应把生产性劳动局限于生产物质资料的劳动,只要是与物质生产相关的,例如科教、文艺、服务等行业的劳动,都是创造价值的生产性劳动,他认为把全社会劳动分配到上述几个方面才是最为重要的。其代表性文献是于光远1981年发表在《中国经济问题》上的《社会主义制度下的生产劳动和非生产劳动》。1982年孙冶方在《经济研究》上发表了《关于生产劳动和非生产劳动、国民收入和国民生产总值的讨论》一文,对此持反对意见。他认为,科教、文艺、医疗卫生工作人员的劳动是精神生产劳动,不是创造价值的生产性劳动。

第三次争论发生在20世纪90年代,讨论的主题为价值源泉是一元的还是多元的。在经过十多年的改革开放后,我国的社会分工和协作不断深化,三大产业的比重也开始发生重大变化,第三产业逐渐超越第一、二产业,科技生产和管理日益在经济发展中起到越来越大的作用,体力劳动的作用在逐渐降低。基于这些经济现象,谷书堂认为,物质生产劳动和非物质生产劳动都能创造社会财富,都形成价值。苏星则在其1992年发表于《中国社会科学》上的《劳动价值论一元论》一文中反驳谷书堂的观点，他指出，谷书堂认为决定价值的不是抽象劳动而是具体劳动。是生产力，这一观点是对马克思劳动价值论的背离。因为马克思曾明确指出"生产力的变化本身丝毫也不会影响表现为价值的劳动"，因此生产物质资料的劳动才是创造价值的唯一源泉。随后，谷书堂撰文《新劳动价值一元论》对苏星的观点予以回应，他认为，经济社会发展的现实使得劳动价值一元论面临着挑战，因此要扩展理论的假设和概念的外延，把资本等非劳动要素纳入劳动的概念中。

第四次争论发生在 21 世纪初，讨论的主题是如何深化对社会主义劳动和劳动价值论的认识。随着我国经济改革的不断深入，科技研发和经营管理日益成为市场经济条件下劳动的重要形式，其在经济发展中发挥的作用也越来越明显。新的经济社会发展现实要求理论的革新，中央决策层也引导学界结合新的社会实践，深化对社会主义社会劳动和劳动价值论的认识。诸如科技、经营管理能否创造价值以及在马克思主义理论的基础上如何拓展劳动的内涵和外延等，这些问题成为当时争论的焦点。

第五次争论发生在 2008 年金融危机以后，讨论的主题是如何看待马克思劳动价值论的现实意义。基于2008年金融危机的大背景，学界开始重新审视马克思的劳动价值论，马克思的劳动价值论是否过时？如何用马克思的劳动价值论分析当代经济现象的问题？这次争论最大的特点是围绕劳动价值论和价值分配的关系，从分配正义的角度去探讨马克思劳动价值论的现实意义。

不难发现，国内学界关于劳动价值论的历次争论焦点都与当时的经济社会发展热点问题息息相关，结合国内经济社会发展提出的理论需要，对马克思的劳动价值论做出新的解释和发展是国内学界关于马克思劳动价值论历次争论的最大特点。

2. 学界对剩余价值论的理解和争论

剩余价值论和劳动价值论一样，也是学界一直以来争论的焦点之一，下文对学界有关剩余价值论的理解和争论做简要的梳理。

以曼德尔为代表的西方学者对剩余价值论的一般看法是：资本主义经济关系的根本性质在于其生产是为了获取利润，这是资本主义生产的目的和动机。曼德尔等学者认为，马克思的阶级理论告诉我们，在各个阶级社会中都有部分社会的统治阶级占有社会剩余产品，只是采取了性质不同的三种形式。在奴隶社会是直接无偿占有剩余劳动，在封建社会是采用封建地租的形式，在资本主义社会是货币形式。他认为马克思揭露了剩余价值产生的经济机制，马克思的整个剩余价值理论是建立在"劳动力"和"劳动"的精微区分上的。持类似观点的还有罗宾逊夫人。

而以罗默为代表的新古典经济学家则不同意他们的观点，他们运用新古典经济学的方法和纯粹的技术手段分析了剥削的问题，对马克思的剩余价值论持否定态度。1982年，罗默出版了《剥削和阶级的一般理论》一书，此外还有他1980年和1982年先后发表在《计量经济学》上的《马克思经济学的一般均衡方法》和《剥削和阶级的起源——前资本主义经济的价值理论》，以及他1982年发表在《经济学杂志》上的《剥削、选择和社会主义》等文章，罗默用新古典经济学理论和博弈论，借助于分析哲学的方法，将马克思的剥削理论放在更一般化的历史条件下来考察。罗默的主要结论是：资产的不平等分配是产生剥削的主要因素，与劳动力市场相比，信贷市场在某种程度上在剥削产生过程中的作用更加明显。但是，竞争性市场和不同的生产资本所有权是阶级和剥削产生的关键的制度，而劳动交换却不是。由此我们可以看出罗默的剥削理论和马克思的剩余价值理论存在明显的差别，马克思的剩余价值理论认为在资本主义雇佣劳动的条件下，剩余价值产生于生产过程中，而罗默则将剥削归结于竞争性市场和不同的资本所有权。其实，罗默的理论存在明显的漏洞。如果如罗默所言，不同的资本所有权是产生剥削的重要原因，那么不同的资本所有权又来自哪里？对此，罗默并没有给出解释。

国内学者对剩余价值论的研究视角不尽相同，孟捷从研究马克思剩余价值论假设的角度研究剩余价值论的重构问题。文中，他"放弃了将劳动力价值作为预先给定的已知量的假设，劳动力价值只能是新创造价值的一部分是通过产业后备军这一特殊的制度来保证的。这也意味着，劳动力价值和剩余价值的分割将主要取决于两大阶级的力量的对比和各自阶级内部的竞争，而不必依赖于工人的必要生活资料在一定时代始终不变这一假设。阶级斗争在剩余价值率的决定中要起着比马克思所承认的更为积极的作用"[1]。吴学东则从马克思劳动思想的角度分析了剩余价值论的科学性。他认为"马克思对劳动主体和劳动过程的分析，奠定了剩余价值论的唯物史观基础；劳动辩证法作为科学的认识方法，是剩余价值论的理论基石；剩余价值论借助劳动内在矛盾的分析，揭示了资本主义生产方式发展的历史必然性即资本主义生产方式必然产生和走向灭亡的规律"[2]。此外，也有学者从当代性的角度研究马克思的剩余价值论。

(三)《资本论》的资本逻辑

1.对资本逻辑的理解

《资本论》中的资本逻辑究竟是什么？郗戈认为："所谓资本逻辑的实质内容就是《资本论》所揭示的资本主义生产方式的基本规律即价值增值规律；不同于一般价值规律，价值增值规律的特殊本质、核心内涵在于：资本主义生产中劳动过程与价值增值过程的二重性矛盾。资本主义生产的二重性

---

[1] 孟捷：《劳动力价值的再定义与剩余价值论的重构》，载《政治经济学评论》2015年第4期。
[2] 吴学东：《从马克思的劳动思想看剩余价值论的科学性》，载《中南大学学报》（社会科学版）2014年第6期。

在再生产和积累中进一步发展为资本主义社会的基本矛盾即生产力的社会化趋势与资本主义私有制之间的矛盾。可见，资本逻辑特别是劳动过程与价值增值的矛盾以不断发展的形式贯穿于《资本论》的始终。"①

不难理解，资本逻辑作为《资本论》的核心逻辑，其实质就是价值增值规律，即资本主义生产过程的两重性问题，资本主义生产一方面是劳动过程，"是制造使用价值的有目的的活动，是为了人类的需要而对自然物的占有"②。另一方面是价值增值过程，"不仅要生产使用价值，而且要生产商品，不仅要生产使用价值，而且要生产价值，不仅要生产价值，而且要生产剩余价值"③。这种二重性最终发展成为资本主义社会的基本矛盾，从而导致"两个必然"。

2.资本逻辑与其他概念的辨析

翁寒冰从资本逻辑和生产逻辑辩证关系的角度

---

① 郗戈：《〈资本论〉历史唯物主义思想的"内在张力"》，载《北京大学学报》（哲学社会科学版）2017年第1期。
② 马克思：《资本论》第1卷，人民出版社2004年版，第215页。
③ 马克思：《资本论》第1卷，人民出版社2004年版，第217—218页。

辨析了资本逻辑和生产逻辑。他认为，马克思在《资本论》及其手稿中"将生产过程理解为两个层面，第一个层面是'生产逻辑'，是为生产而生产，即为获得物质产品而进行的生产过程；第二个层面是'资本逻辑'"[1]。他认为"资本逻辑"就如同马克思所说的那样：资本主义生产的目的就是使产品中包含尽可能多的剩余劳动。可见，翁寒冰将资本主义生产中的二重性解释为"生产逻辑"和"资本逻辑"，这与上文郗戈所说的"作为《资本论》核心逻辑的资本逻辑是价值增值规律"观点内涵一致，都指出资本主义生产最重要的目的是价值增值。同时，翁寒冰还从三个方面阐述了生产逻辑和资本逻辑的辩证关系，即"首先，马克思清晰地认识到，作为以剩余价值的增值为永恒目标的'资本逻辑'，在资本主义生产方式发展的不同阶段，对于'生产过程'的切入程度是各不相同的；其次，在作为资本主义生产的完成形态即机器大工业中，生产逻辑和资本逻辑总是内在地辩证统一的，因此，必须从生产逻辑和资本逻辑的辩证关系的角度来理解资本

---

[1] 翁寒冰：《〈资本论〉视域中生产逻辑与资本逻辑的辩证关系》，载《南京政治学院学报》2017年第1期。

主义生产方式的实质;再次,从资本主义生产方式的历史性发展来看,生产逻辑与资本逻辑的关系是一种相互促进的辩证发展关系"[①]。

那么,资本逻辑与《资本论》逻辑、拜物教论又是什么关系呢?郗戈以《资本论》的前三卷为中心,梳理了《资本论》逻辑和资本逻辑的关系,他认为:"《资本论》逻辑与资本逻辑的统一,是思想具体与现实具体、理论逻辑与历史逻辑通过再现达成的统一。《资本论》的理论逻辑再现出资本从本质到表象的整体运动规律。再现中的统一不是一成不变的抽象同一,而是在矛盾中不断运动发展的统一。"[②] 拜物教论又称"物象化论",物象化则是"在资本逻辑基础上发生的从本质到物象的颠倒表现关系"。而"资本逻辑与物象化既紧密联系,又相互区别。二者的联系在于,资本逻辑是资本主义生产的本质逻辑,而物象化则是资本主义生产的'效果'逻辑;物象化是资本逻辑的社会效应。二者的

---

① 翁寒冰:《〈资本论〉视域中生产逻辑与资本逻辑的辩证关系》,载《南京政治学院学报》2017年第1期。
② 郗戈:《〈资本论〉逻辑:资本逻辑还是"物象化"?》,载《教学与研究》2016年第9期。

区别在于，资本逻辑是从本质到表象、从内部联系到外部表现形式的'转化生成'逻辑，而物象化则是从本质到'物象'的'颠倒表现'关系。资本逻辑中从本质到表象的'转化生成'构成了物象化中从本质到物象的'颠倒表现'的根基。相应地，《资本论》的核心逻辑是对资本逻辑的再现，而不是拜物教批判或物象化批判。资本逻辑是《资本论》的'主'逻辑，而物象化是《资本论》的'副'逻辑"[1]。

简而言之，郗戈认为《资本论》逻辑是思想、是理论，而资本逻辑是现实、是历史。拜物教是资本逻辑表现出来的社会效应，《资本论》的核心逻辑就是再现资本逻辑，并不是批判拜物教。

3.对资本逻辑的批判

既然资本逻辑导致资本主义生产的"异化"，并最终发展成为社会化的大生产与资本主义私有制之间不可调和的矛盾，那么，马克思对资本逻辑有哪些批判，以及资本逻辑又会如何自我扬弃？

王荣在其《马克思对资本逻辑的三重批判》一

---

[1] 郗戈：《〈资本论〉逻辑：资本逻辑还是"物象化"？》，载《教学与研究》2016年第9期。

文中分析了马克思对资本逻辑的存在、本质和历史的批判,她认为:"资本逻辑的存在批判以'商品拜物教'为核心范畴揭示人受物统治的社会现实。资本逻辑的本质批判通过对雇佣劳动和资本主义生产过程的考察,透过资本逻辑营造的自由与平等的假象使资本对劳动的剥削一览无余。资本逻辑的历史批判从社会历史进程中剖析资本主义社会整体,表明资本逻辑有其产生的前提,也存在其消亡的界点。"[①]拜物教是资本逻辑的存在形式,资本主义社会中充斥的各种拜物教的狂热成为马克思对资本逻辑的存在的批判对象。资本主义雇佣劳动表面上是资本家雇佣工人劳动,并付给工人工资,但这一自由平等表象掩盖了资本家剥削工人的实质,马克思正是通过揭露资本主义雇佣劳动的剥削实质批判了资本逻辑的本质。建立在剥削基础上的资本逻辑世界,人全面异化,因此资本主义必然不是历史的"终结",必然被更适合人类全面发展的未来社会所代替,此为马克思对资本逻辑的历史批判。

马克思在对资本逻辑进行批判的同时,又如何

---

① 王荣:《马克思对资本逻辑的三重批判——基于〈资本论〉的阐释》,载《求实》2016年第5期。

阐述资本逻辑的扬弃呢？资本逻辑的扬弃是资本主义经济和社会自身发展变化的结果，首先是物质基础的发展和成熟。郗戈认为：资本逻辑自我扬弃的物质基础是"生产力和交往和普遍发展"，而其核心则"在于资本主义生产方式的自我否定、自我超越趋势"，"随着生产力和交往的普遍发展，资本逻辑自我扬弃的物质基础不断成熟，日益汇聚为一系列的超越趋势。物质基础构成了超越趋势的现实内容，而超越趋势则构成了物质基础的发展方向。两者相互统一共同构成了资本主义内在超越的基础与前提"[①]。当这种超越趋势在资本主义经济和社会内部孕育之后，会出现一系列资本主义向新社会的过渡形式，例如股份制、信用制度、工人合作工厂等，这些过渡形式使得私人资本慢慢地转变为社会资本，并最终引发资本主义向新社会的过渡。

综上所述，所谓资本逻辑就是价值增值规律，它阐明资本主义生产的根本目的是追求尽可能多的剩余价值，作为《资本论》的核心逻辑资本逻辑，贯穿于资本主义社会的始终，以及经济发展的各个

---

① 郗戈：《资本逻辑的自我扬弃：〈资本论〉哲学的未来向度》，载《学习与探索》2013年第8期。

领域。生产逻辑和资本逻辑是资本主义生产二重性的表现，是辩证统一的；《资本论》逻辑是思想，而资本逻辑则是现实；拜物教是资本逻辑的社会效应。马克思从存在、本质和历史的角度对资本逻辑进行了批判，也预言随着生产力和社会交往的发展，以资本逻辑为核心逻辑的资本主义社会必然为新社会所代替。

（四）《资本论》与《21世纪资本论》的比较

1.对《21世纪资本论》内容的解读

《21世纪资本论》是法国经济学家托马斯·皮凯蒂的著作，它是皮凯蒂多年从事经济研究的成果集成。该书的核心观点是：资本主义基本矛盾的根源在于资本收益率大于经济增长率，所以资本持有者的收入增长高于普通民众的收入增长，由此引发社会总体的贫富差距持续扩大。

巴曙松主持翻译了《21世纪资本论》，他从在新的全球环境下重新思考财富分配的角度为本书写了书评，他认为这本书是西方思想界对资本主义的反思，也从五个方面介绍了皮凯蒂在本书中的基本观点：一是资本主义基本矛盾的根源是资本收益率大于经济增长率；二是不平等在加剧，根据皮凯蒂的研究，只有1914—1970年这段时间内资本主义世界的财富差距在缩小，其他阶段都在稳定扩大，这对库兹涅茨的"倒U型"论断提出了挑战；三是"承袭制和拼爹资本主义"再现，通过自身才能和诚实劳动获得巨大成功的可能性越来越小，甚至已经不复存在，社会化阶层固化；四是为了保持资本所得与劳动回报的相对平衡，皮凯蒂建议在全球范围内征收资本累进税，但他自己也承认这是一种乌托邦式的想法；五是皮凯蒂认为不平等是21世纪经济学界面对的重大课题之一，甚至预言21世纪可能会重蹈19世纪的覆辙。巴曙松认为这一预言只是一个狂野的猜想，谁也无法预测21世纪究竟会发生什么。[1]

2.《资本论》与《21世纪资本论》的比较

由于《21世纪资本论》所涉及的课题是收入不平等以及与此相联系的公平与效率的问题，所以它一出版就引起广泛的讨论，学界对它的评价也褒贬不一。此外，由于《21世纪资本论》书名与《资本

---

[1] 巴曙松：《在新的全球环境下重新思考财富分配——主持翻译〈21世纪资本论〉中文版的一点思考》，载《国际经济评论》2014年第6期。

论》高度相似，学者们很自然地会将这两者做比较研究。

崔友平认为两者之间有八个不同点："1.写作的历史背景不同，《资本论》是马克思批判地继承了英国古典政治经济学和资产阶级庸俗经济学的理论成果，写作于资本主义高度发展时期，是在无产阶级和资产阶级之间阶级斗争的背景下，为无产阶级提供革命的理论武器，而《21世纪资本论》写作于当代。2.写作的目的不同，《资本论》的写作目的正如马克思所说的那样，'是揭示现代社会的经济运动规律'，其目的是推翻资产阶级统治，建立无产阶级专政，《21世纪资本论》的最终目的是'救治'资本主义。3.研究对象内容不同，《资本论》的研究对象'是资本主义生产方式以及和它相适应的生产关系和交换关系'，《资本论》以剩余价值为中心，围绕剩余价值的生产、交换、分配与消费展开，《资本论》中的分配问题是剩余价值的分割问题。皮凯蒂在《21世纪资本论》的研究则限定于分配领域，他从资本和劳动关系的视角来研究分配问题。4.对资本的理解不同，《资本论》中的'资本'是能带来剩余价值的价值，而皮凯蒂则将资本定义为'是能够划分所有权、可在市场中交换的非人力资产的总和,不仅包括所有形式的不动产(含居民住宅),还包括公司和政府机构所使用的金融资本和专业资本(厂房、基础设施、机器、专利等)'。5. 体系结构不同,《资本论》以剩余价值为主线,四卷分别研究了剩余价值的生产、实现、分配和理论史。《21世纪资本论》用数据揭露了资本主义贫富差距扩大的总趋势,分为收入与资本、资本/收入比的动态变化、不平等结构和21世纪的资本监管这四个部分。6. 研究方法不同,《资本论》的研究方法是唯物主义辩证法,分为'从客观事物具体到抽象'和'从抽象上升到具体'两个阶段。《21世纪资本论》使用的是历史研究的方法,用大量的历史和现实的统计资料来证明某一个观点,而不是从概念到概念的理论推演。7. 对资本收益率理解不同,《资本论》认为由于竞争的存在,部门与部门之间的竞争会形成平均利润率,由于资本有机构成的不断提高,平均利润率下降。《21世纪资本论》只是探讨资本收入与资本增长,并指出资本回报率长期高于资本增长率这一规律,而较少分析资本利润率可能规律。8. 解决问题的思路不同,马克思认为私有财产和资本主义制度最终要被人类抛弃，而皮凯蒂主张对资本主义进行管理，他认为资本主义制度能够有效进行资源配置，为人民提供基本的自由，苏维埃模式则与贫困落后和不自由联系在一起。"[1]

崔友平通过对《资本论》和《21世纪资本论》进行以上八个方面的比较研究，得出的结论是：《21世纪资本论》不是对《资本论》的继承和发展，更不是《资本论》的续篇，只是借用了对其宣传有利的书名，皮凯蒂本质上还是资本主义社会的维护者，但《21世纪资本论》这本书的贡献在于它用翔实的数据揭示了资本主义社会的不公平性，以及随着资本收益和劳动收益差距的日益扩大，社会的不平等日益加深。

持类似观点的还有杨军，她认为"将《21世纪资本论》视为《资本论》的续篇是错误的，两者在理论立场、研究取向、中心问题和核心范畴上存在原则性差别，所以不应高估《21世纪资本论》应对收入不平等的方案，但同时也应肯定它对于认识当

---

[1] 崔友平：《〈资本论〉与〈21世纪资本论〉比较研究》，载《马克思主义与现实》2015年第2期。

代资本主义、新自由主义的参考价值"[1]。

崔友平和杨军主要是从《资本论》和《21世纪资本论》的内容方面对资本论进行了比较，而黎宏和卞彬则是从经济哲学的角度来剖析两者之间的关系，并将其与新古典经济学家的著作进行了比较。他们首先从阶级立场、理论范式和研究方法三个角度比较了《资本论》和《21世纪资本论》。他们认为，在阶级立场上，皮凯蒂是小资产阶级的阶级立场，而马克思则是站在无产阶级的立场上；在理论范式上，皮凯蒂是资本的历史唯心主义者，而马克思是资本的历史唯物主义者；在研究方法上，《21世纪资本论》是形而上学的，《资本论》是唯物辩证法。

而在经济哲学的问题上，黎宏和卞彬高度评价了皮凯蒂，认为"与新古典经济学家的著作相比较而言，皮凯蒂的《21世纪资本论》虽然不可能也不会达到马克思《资本论》的高度，但是最接近马克思的《资本论》，是最像马克思《资本论》的《资本论》。《21世纪资本论》一反新古典经济学研究范

---

[1] 杨军：《关于〈21世纪资本论〉若干评论的辨析》，载《马克思主义研究》2015年第9期。

式，试图改变主流经济数量抽象化的纯粹理论研究方式，通过社会历史研究方法来重新研究当代资本主义经济问题，给人耳目一新的感觉；试图重回政治经济研究传统，再次证明马克思《资本论》关于财富收入分配理论方面的真理性；同时，凸显了在马克思主义指导下中国特色社会主义，在解决中国现实财富收入分配问题的中国智慧和中国方案的独特优势"[1]。

针对目前西方主流的新古典经济学研究范式过分痴迷数理分析的趋势，皮凯蒂认为"目前的经济学科不惜牺牲历史研究，牺牲与其他社会科学相结合的研究方法，而盲目地追求数学模型，追求纯理论的、高度理想化的推测。这种幼稚的做法应该被摒弃了"[2]。他"更喜欢'政治经济学'这一表述，它可能显得有些过时，不过在我看来传递了经济学和其他社会科学的唯一区别：其政治、规范和道德目的"[3]。黎宏和卞彬肯定了皮凯蒂在研究范式上对

---

[1] 黎宏、卞彬：《〈资本论〉与〈21世纪资本论〉理论范式比较研究》，载《上海行政学院学报》2017年第2期。
[2] 皮凯蒂：《21世纪资本论》，中信出版社2014年版，第33页。
[3] 皮凯蒂：《21世纪资本论》，中信出版社2014年版，第592页。

马克思政治经济学传统的回归,虽然皮凯蒂的《21世纪资本论》只是提出问题而未解决问题,但他们依然认为《21世纪资本论》是"回归马克思和回归政治经济学批判"的一次有益尝试。

当然类似的比较研究还有很多,例如李其庆从资本的概念、无限积累原理、利润率下降趋势规律、资本主义核心矛盾、资本主义崩溃论五个方面比较了《资本论》和《21世纪资本论》,他认为《21世纪资本论》"揭露了现代资本主义社会不平等的现象,改写了库兹涅茨倒U曲线,呼应了马克思的某些基本论断,对当代资本主义起到一定的批判作用;此外,它在汇集长期统计资料的实证研究上也有自己的特点。但另一方面,这部著作又包含对《资本论》的严重误读或曲解,并试图用一套现象分析代替马克思的科学理论,其政策建议也带有空想主义和改良主义的色彩,这又使得马克思主义学者需要对皮凯蒂的著作进行分析和批评"[①]。

综上所述,学者们对皮凯蒂《21世纪资本论》

---

① 李其庆:《〈21世纪资本论〉是本什么样的书?——〈21世纪资本论〉与〈资本论〉若干理论问题的比较研究》,载《政治经济学评论》2015年第1期。

的评价较客观，也相对统一，首先，《21世纪资本论》不是《资本论》的续篇，它们在写作背景、研究方法、核心范畴的认知、阶级立场、解决问题的方法等诸多方面存在本质性差异；其次，学者们对皮凯蒂基于大量翔实的数据，用社会历史研究方法，抛弃新古典经济学派对数学模型的过度痴迷持肯定态度，也积极评价和部分肯定了皮凯蒂关于资本主义社会的收入不平等问题的研究成果。

（五）《资本论》的经济危机理论

1.《资本论》的危机理论与其他危机理论的比较

《资本论》的危机理论和西方经济学家们对经济危机起因的解释有着本质的区别，下文将对此做简单的比较。

胡钧和沈尤佳将马克思的危机理论和凯恩斯的危机理论进行了区别，他们认为马克思的危机理论阐述了危机在形式上的可能性是由于买卖分离和"货币执行支付手段的职能后，货币在两个不同的时刻分别起价值尺度和价值实现手段的作用，危机的可能性就包含在这两个时刻的分离中"[①]。马克

---

① 胡钧、沈尤佳：《马克思经济危机理论——与凯恩斯危机理论的区别》，载《当代经济研究》2008年第11期。

思的危机理论认为由于资本主义生产的目的是不断追求剩余价值，因此资本家希望不断地进行资本积累，从而导致资本有机构成的不断提高，以致产生过剩人口，由此形成资本主义积累的绝对一般规律，即资本主义积累一端是资本的积累，一端是贫困工人的积累，因此就形成了生产过剩危机，这也是有效需求不足的深层次原因。马克思在《资本论》的第3卷中研究了直接生产过程和流通过程统一的总生产过程，由于剩余价值转化为利润，利润又在概念上被定义为全部预付资本的成果，从而逐渐形成全社会的平均利润率，平均利润率不断下降，从而迫使资本家不断扩大投资，用增大利润绝对量的方式来弥补平均利润率的下降，从而我们可以得出结论：生产过剩危机的直接根据就是平均利润率下降。此外，胡钧和沈尤佳认为对资本主义经济危机成因的分析是马克思和凯恩斯研究方法的最大区别。凯恩斯将经济危机的起因局限于流通领域，而马克思则是深入到了生产领域，去研究生产领域中人与人之间的关系，由此探讨生产与消费的对抗性矛盾。在研究对象上，马克思研究的是资本主义生产关系的内部结构，而凯恩斯研究的只是资本流通过程中呈现出来的表面现象。在研究目的上，包括危机理论在内的马克思经济学的根本目的是揭示资本主义生产方式的经济运动规律，而凯恩斯经济理论是探讨如何提高国民收入来达到充分就业，以求解决资本主义经济面对的失业和生产过剩危机问题，通过对资本主义制度的局部修补来维护资本主义经济制度。在研究方法上，马克思坚持了唯物史观，而凯恩斯则是唯心史观。

也有学者从马克思危机理论和西方经济学家们对具体经济危机的不同解释来区分两者。乔磊、白少君、安立仁将马克思危机理论梳理为五个要点：第一，经济危机的本质是生产过剩危机，根源是生产社会化和生产资料资本主义私人占有之间的矛盾；第二，资本主义再生产周期一般包括危机、复苏、高涨和萧条四个阶段，物质基础是固定资本的更新；第三，信用一方面促进了资本主义生产的扩大，另一方面掩盖了生产过剩的事实，造成虚假需求，从而推动资本主义生产的盲目扩大，最终必然导致生产过剩；第四，经济危机的可能性来自商品和货币在价值形态上的对立及其必须相互转换的关系；第五，市场竞争的加剧和信用制度的发展使资本主义经济危机成为现实。与马克思的危机理论相区别，西方经济学家们也对历次经济危机的成因进行了分析。针对1929年开始的大萧条，"英国经济学家庇古认为，大萧条产生的原因在于工人不接受削减工资而失去工作，但供求的'魔力'将解决所有问题。美国著名的新古典经济学家欧文·费雪给出了一种货币主义的解释。他认为，货币供给太少导致价格下降、债务过重甚至破产"[1]。货币主义者弗里德曼则将大萧条归结为20世纪30年代初期货币供给不足，甚至归结于美联储主席的去世。哈耶克则认为，20世纪20年代信贷过度扩张导致投资结构严重失衡，所以只能用大萧条来进行自我修正。凯恩斯及其追随者阿尔文·汉森和保罗·萨缪尔森认为大萧条爆发的主要原因是人们心理上边际消费倾向递减导致自发消费不足以及由于人们对未来的预期不乐观导致投资需求也不足，最终导致有效需求不足。伯南克将大萧条归结于"一战"后国际货币体系的先天不足以及美国国内由于经济不景气而缩减信贷业务，从而加剧了经济危机的爆发。

---

[1] 乔磊、白少君、安立仁：《马克思经济学与西方经济学经济危机理论的比较研究》，载《经济纵横》2010年第7期。

我们不难发现，马克思的危机理论以唯物史观的方法，深入生产领域，将周期性的生产过剩危机的根源归结为资本主义社会的基本矛盾。而其他经济学家们对经济危机的解释虽然角度各不相同，但基本上都只是从流通领域、货币现象、信贷收缩、心理因素等表面现象和具体原因去解释经济危机的成因，而不涉及经济危机发生的根本原因，从这种分析出发而制定出的反经济危机政策往往只能缓解经济危机，而不能根除经济危机，有短期之效，而无长期之功。

2.《资本论》的危机理论的当代性问题，尤其是基于2008年金融危机的思考

《资本论》发表一百多年后的今天，《资本论》中的危机理论对当代经济社会的发展，特别是对当代经济危机的解释力是否尚在？这是学界研究《资本论》的危机理论的重要视角之一，尤其是在2008年金融危机的背景下，国内外的学者们都开始重新思考《资本论》中危机理论的当代价值。

侯惠勤和辛向阳认为资本主义的兴衰决定了西方国家思想界对马克思主义的认识和态度。他们梳理了2008年金融危机后西方学者对马克思主义观

点特别是马克思的危机理论的新认识,"经历金融危机后西方学界认为马克思的观点对于理解和讨论2008年金融危机仍然具有重要指导意义,马克思科学地剖析了资本主义制度,也预言了当代经济全球化的冲突与实质"[1]。顾钰民认为"金融危机爆发的根本原因并不是操作层面上的问题,其根本原因还是资本主义的基本矛盾,实质是生产过剩,直接表现是整个经济运行出现的严重比例失调"[2]。当代资本主义的发展趋势也验证了包括危机理论在内的马克思主义理论的科学性。胡磊从马克思危机理论的视角研究了2008年的经济危机,他认为马克思的危机理论为解释经济危机提供了一个基本的分析框架,具体表现在"市场经济体制是资本主义经济危机生成的客观基础,经济危机是商品经济的内在矛盾在宏观经济领域的充分展开;社会基本矛盾是资本主义经济危机生成的制度根源,经济危机是资本主义经济制度的内在矛盾在宏观经济领域的全面激

---

[1] 侯惠勤、辛向阳:《国际金融危机中马克思主义的复兴》,载《红旗文稿》2010年第12期。
[2] 顾钰民:《用马克思主义理论科学阐释金融危机》,载《马克思主义研究》2009年第1期。

化；信用经济扩张是资本主义经济危机生成的重要杠杆，经济危机是'需求泡沫'破灭在宏观经济领域的集中体现"。由此，他认为马克思的经济危机成因理论对认识和应对由美国次贷危机引发的全球性经济危机仍然具有重要的启示作用。

国内学界对马克思的危机理论的当代性问题看法基本一致，虽然当今社会已不是《资本论》发表时的自由资本主义社会，但马克思的危机理论在当代仍然具有高度的理论价值和实践指导意义。

（六）《资本论》写作过程及马克思的思想变化

1843年年底，马克思在《莱茵报》期间第一次遇到要对物质利益发表意见的难事。莱茵省议会通过的所谓"林木盗窃法"、莫塞尔可流域酿造葡萄酒的农民贫困破产问题，促使马克思去探索这些"客观关系"中的社会经济关系的本质和内涵。在与奥格斯堡保守派报纸《总汇报》关于共产主义的争论中，马克思深感有必要从政治经济学角度，对共产主义思潮的产生及其性质进行探讨。更为重要的是，马克思思想的内在发展，要求他深入政治经济学研究领域中去。在《黑格尔法哲学批判》和《〈黑格尔法哲学批判〉导言》中，马克思已经认识到:"法的关系正像国家的形式一样,既不能从它们本身来理解,也不能从所谓人类精神的一般发展来理解,相反,它们根源于物质的生活关系,这种物质的生活关系的总和,黑格尔按照18世纪的英国人和法国人的先例,概括为'市民社会',而对市民社会的解剖应该到政治经济学中去寻求。"[1] 对政治经济学的研究成为理解"市民社会",即理解资本主义"物质的生活关系的总和"的出发点,进而成为理解包括国家和法的关系在内的整个资本主义社会结构的出发点,成为揭示资本主义生产方式奥秘的出发点。

一切伟大的社会科学理论都是时代的产物。《资本论》的产生,与16—19世纪西欧资本主义国家的发展变化以及其背后的理论和思潮有着密不可分的联系。马克思写作《资本论》是一个充满艰辛的过程,这个过程耗时长达四十年之久。在这漫长的岁月中,马克思先后完成多部读书笔记、三大手稿和《资本论》。从1843年10月开始,马克思在巴黎研究政治经济学。他系统地阅读了大量的政治经济学

---

[1] 《马克思恩格斯选集》第1卷,人民出版社2012年版,第32页。

文献，其中包括亚当·斯密、大卫·李嘉图的著作，也包括当时正活跃在欧洲经济学界的著名学者弗里德里希·李斯特、约翰·雷姆塞·麦克库洛赫等人的著作，与此同时，马克思还研读了恩格斯的《国民经济学批判大纲》。

德国学者埃克·考普夫认为，马克思通向《资本论》发端在于恩格斯的著作《国民经济学批判大纲》。恩格斯大约于1843年年底撰写了这部著作，并寄给了作为《德法年鉴》共同出版人的马克思。"恩格斯的这篇文章是一个重要论据，它表明马克思在1844年已经认识到：不是政治和法的关系，而是经济关系构成社会的根基。因此他没有接着写作黑格尔法哲学，尤其是批判黑格尔的国家法的系列著作，而是计划撰写一部'政治和国民经济学批判'著作。"[1] 按照恩格斯的提示，马克思在巴黎深入研究了著名经济学家关于"工资""资本的利润"和"地租"的论述。

对此，国内学者张钟朴认为，在《资本论》创作史中，应该将《克罗茨纳赫笔记》视为起点。

---

[1] ［德］埃克·考普夫：《〈资本论〉第1卷德文第1版在MEGA2中的编辑情况》，载《马克思主义与现实》2012年第5期。

1842年年初，马克思研究黑格尔法哲学，在写作《黑格尔法哲学批判》时写了《克罗茨纳赫笔记》。在这部仅仅花了两个月完成的笔记中，马克思研究了公有制如何转变为私有制、封建所有制怎么转变为资本主义所有制、封建所有制对政治制度的影响、资本主义所有制对政治制度的影响等问题。"通过这段研究，马克思认识到，政治斗争、阶级斗争归根到底跟经济利益有关。所有政治制度、政治制度变革都跟所有制有关，他得出一个重要的结论：不是国家决定市民社会，而是市民社会决定国家，政治制度是受市民社会决定的。"[1]

随后，马克思先后完成《巴黎笔记》《布鲁塞尔笔记》《曼彻斯特笔记》，这三部笔记反映了马克思1843—1847年这段时间中的思想发展和经济学研究成果。一方面是逐步制定了唯物史观，另一方面是从不承认劳动价值论转向了劳动价值论。由于1848年欧洲革命，马克思一度中断了政治经济学研究。1949年8月底，马克思移居伦敦后，一方面着手总结1848年欧洲革命的新鲜经验，另一方面

---

[1] 张钟朴：《〈资本论〉创作史系列讲座之一——从〈克罗茨纳赫笔记〉到〈伦敦笔记〉》，载《马克思主义与现实》2012年第5期。

重新研究政治经济学理论，以实现他创立无产阶级政治经济学理论体系的夙愿。从1850年8月开始，马克思利用大不列颠博物馆收藏的几乎是全欧洲最丰富、最完备的政治经济学著作和资料，再次研究了可能发现的所有的重要的经济学文献。到1853年年底，马克思写了包括24个笔记本的读书笔记。这些笔记统称为《伦敦笔记》。"从《巴黎笔记》到《伦敦笔记》，生动地说明马克思是在与当时政治经济学理论发展的最高成就的'对话'中，是在批判地继承前人优秀的思想遗产的基础上，确立自己理论研究的新起点的。"[①]

1856年上半年，英国面临着一场以金融货币危机为特征的严重的经济危机。1857年，马克思不止一次地预言的经济危机确实爆发了，这使他为得到经济学研究的某种结论转入了近乎疯狂的努力。1857年12月，他在写给恩格斯的一封信中写道："我现在发狂似的总结我的经济学研究，为的是在洪水之前至少把一些基本问题搞清楚。"[②]从

---

① 顾海良：《马克思主义发展史》，中国人民大学出版社2007年版，第86页。
② 《马克思恩格斯全集》第13卷，人民出版社1998年版，第219页。

1857年7月到1858年5月间,马克思写了一系列的经济学手稿。这些内容丰富的经济学手稿,现在统称为《1857—1858年经济学手稿》,是马克思从1843年以来政治经济学理论研究的结晶。"《1857—1858年经济学手稿》对政治经济学的研究对象、研究方法,以及政治经济学理论体系的结构做了详尽的论述,对劳动价值论、货币理论、剩余价值论和资本主义经济发展趋势问题做了科学论述。这些论述标志着马克思主义政治经济学理论的基本形成。"[1] 在这部手稿大约30页长的导言中,马克思首次系统阐述了社会经济关系性质,分析了社会经济运行中生产和分配、交换、消费之间的辩证关系。马克思从这一视角出发,对资产阶级社会生产关系的内在结构做了深入剖析,确立了政治经济学研究的对象。同时,马克思以一种探索性的口吻和不完整的形式讨论了政治经济学研究的方法问题,提出了被他称作总体方法和构建政治经济学理论体系的"抽象上升到具体"的方法。马克思运用这一方法设计了著名的"五篇结构计划"。这就是:"(1)一

---

[1] 顾海良:《马克思主义发展史》,中国人民大学出版社2007年版,第88页。

般的抽象的规定,因此它们或多或少属于一切社会形式……(2)形成资产阶级社会内部结构并且成为基本阶级的依据的范畴。资本、雇佣劳动、土地所有制。它们的相互关系。城市和乡村。三大社会阶级。它们之间的交换。流通。信用事业(私人的)。(3)资产阶级社会在国家形式上的概括。就它本身来考察。'非生产'阶级。税。国债。公共信用。人口。殖民地。向外国移民。(4)生产的国际关系。国际分工。国际交换。输出和输入。汇率。(5)世界市场和危机。"[1]不过这一导言并没有出版,马克思两年后对此解释道:"仔细想来,我觉得预先说出正要证明的结论总是有妨害的,读者如果真想跟着我走,就要下定决心,从个别上升到一般。"[2]

在《1857—1858年经济学手稿》写作过程中,马克思对"五篇结构计划"做了调整,提出了"六册结构计划"。1859年,马克思在出版的《〈政治经济学批判〉序言》中第一次公开宣布了他的"六册结构计划",即"我考察资产阶级政治经济学是按

---

[1] 《马克思恩格斯全集》第46卷,人民出版社1979年版,第46页。
[2] 《马克思恩格斯全集》第13卷,人民出版社1998年版,第7页。

照以下的顺序：资本、土地所有制、雇佣劳动；国家、对外贸易、世界市场。在前三项下，我研究现代资产阶级社会分成的三大阶级的经济生活条件；其他三项的相互联系是一目了然的"[①]。然而，保存下来的《1857—1958年经济学手稿》没有全部涵盖上述目录中的内容。这表明对一项庞大的研究来说，这部手稿只是一部初稿，马克思后来呈现给世人的著作《资本论》只包含了《1857—1858年经济学手稿》中的一小部分。论述诸如对外贸易和世界市场的部分显示出马克思一定程度上逐渐勾勒出了他的其他五册经济学著作的基本论题。马克思曾表示，手稿（如果付印的话，将是一本厚厚的书）中的一切都乱七八糟的，有很多内容是打算在后面的部分进行阐述的。

英国学者麦克莱伦指出："这些手稿笔记的探索性质，它讨论的各种论题以及极为浓缩的风格，这一切都难以对其内容做出令人满意的简明的解释，几乎不可能对它们进行解释。《1857—1858年经济学手稿》是一块巨大的没有开垦的土地：因为

[①]《马克思恩格斯文集》第2卷，人民出版社2009年版，第588页。

现在还几乎没有探索者,甚至他们还没有穿过它的外围。"①国内学者张钟朴认为:"《资本论》手稿和《资本论》之间的关系就像科学家的实验室和他的科研成果之间的关系,手稿的特点在于能展示《资本论》的理论是怎么制定出来的。《1857—1858年经济学手稿》作为马克思的第一部经济学手稿,展现了马克思理论制定过程中与资产阶级经济学家论战的特点,表明他的理论是通过改造德国古典哲学的伟大成果——黑格尔的辩证法实现的,是以唯物史观为基础的。在《1857—1858年经济学手稿》中,'劳动二重性理论'的制定在经济思想史上具有突破性的、革命性的成就,是区分资产阶级经济学和马克思主义经济学的分水岭。除了这一主要理论成果,《1857—1858年经济学手稿》还在资本的生产性和局限性、大机器生产和科学在生产中的应用、社会发展和共产主义等问题上取得了多方面的成果。"②

---

① [英]戴维·麦克莱伦:《马克思传》,王珍译,中国人民大学出版社2006年版,第305页。
② 张钟朴:《〈资本论〉第一部手稿(〈1857—1858年经济学手稿〉)——〈资本论〉创作史研究之二》载《马克思主义与现实》2013年第5期。

从1861年8月开始，马克思打算写作《政治经济学批判》第二分册。在写作过程中，马克思不断地接触和发现新的理论问题，以至于认为"要隔一个月重看自己所写的一些东西，就会感到不满意，于是又得全部改写"[1]。这样，到1863年7月，马克思完成了包括23个笔记本的近1400页的卷帙浩繁的手稿，其内容大大超出了原先计划写作的内容。这部手稿现在被称为《1861—1863年经济学手稿》。在马克思经济思想史中，《1861—1863年经济学手稿》占有极其重要的地位。在这部手稿中，马克思对劳动价值理论、剩余价值理论、社会资本再生产理论、资本主义生产劳动和非生产劳动理论、生产价格理论、地租理论等做了极其重要的论述。在这部手稿中，马克思经济学著作的机构体系也得到了进一步发展。国内学者张钟朴认为，"《1861—1863年经济学手稿》是《资本论》的第二部手稿，内容涉及《资本论》第1、2、3卷及《剩余价值理论》各项理论内容的制定和发展过程。马克思在这一手稿中进一步取得了丰硕的理论成果，其中最重

---

[1] 《马克思恩格斯全集》第30卷，人民出版社1975年版，第617页。

要的是制定广义的剩余价值理论，包括平均利润、生产价格、地租、商业资本和货币资本等理论。《1861—1863年经济学手稿》被认为是《资本论》创作史上的第二个里程碑，体现了马克思在政治经济学史上实现的革命的极其重要的一个阶段"[1]。

在《1861—1863年经济学手稿》写作过程中，马克思对"六册结构计划"做了两个方面的重要改动：一是决定以《资本论》为标题出版政治经济学著作，把原先的"政治经济学批判"标题作为《资本论》的副标题。《资本论》只包含"六册结构计划"中《资本》册第一篇"资本一般"第三章"资本"的内容。《资本》册其他三篇结构及"六册结构计划"中后五册的结构没有变化。二是把准备以《资本论》为标题出版的部分分为三篇：第一篇"资本的生产过程"；第二篇"资本的流通过程"；第三篇"资本和利润"。重新拟定了第一篇"资本的生产过程"和第三篇"资本和利润"的结构计划。《资本论》不只包括本来应构成第一篇第三章

---

[1] 张钟朴：《〈资本论〉第二部手稿（〈1861—1863年经济学手稿〉）——〈资本论〉创作史研究之三》，载《马克思主义与现实》2014年第1期。

的内容，而是把本来构成"资本一般"篇的三章内容都包括在内。

从1863年8月到1865年年底，马克思开始正式以《资本论》为标题进行写作。他结合当时资本主义发展的动态，在研究大量经济学文献和技术文献，以及收集大量统计资料、议会文件、工业中的童工劳动和工人生活状况的官方报告的基础上，撰写了有关资本的生产过程、资本的流通过程和总过程的各种形式的一系列手稿，现在统称为《1863—1865年经济学手稿》。国内学者张钟朴认为："《1863—1865年经济学手稿》是马克思在1863—1867年这一写作阶段取得的相对独立的成果，是《资本论》的第三个手稿。这一手稿最重要的理论成就是建立起了《资本论》三卷的结构体系。这部手稿的第一册是《资本的生产过程》，第二册是《资本的流通过程》，第三册是《总过程的各种形态》，这样的结果是马克思运用唯物辩证法尤其是从抽象上升到具体的逻辑方法的结果。这种方法不但体现在《资本论》三册手稿彼此之间的关系上，也体现在每一册的结构上。第三册《总过程的各种形态》的'主要手稿'是《资本论》第三卷的唯一全卷手稿,它是恩格斯编辑出版的《资本论》第三卷的基础。《1863—1865年经济学手稿》不仅在结构上有了重大突破,在具体理论上也有不少的进展。"①

在写作手稿的过程中,马克思提出了《资本论》四卷结构的计划,即第1卷"资本的生产过程",第2卷"资本的流通过程",第3卷"总过程的各种形式",第4卷"理论史"。1865年年底,马克思完成《资本论》三卷手稿后,立即投入对第一卷的"最后加工"。1866年年初,马克思在给恩格斯的信中谈道:"我正好于1月1日开始誊写和润色,工作进展得非常迅速,因为经过这么长的产痛之后,我自然乐于舔净这孩子。"②1867年9月14日,《资本论》第1卷德文第一版问世。《资本论》第1卷德文第一版出版后,马克思就在考虑修订和出版《资本论》第1卷德文第二版。1871—1873年,第二版分9个分册出版。和第一版相比,第二版不仅在篇章结构上做了变动,而且在理论阐述上也做了

---

① 张钟朴:《〈1863—1865年经济学手稿〉——〈资本论〉创作史研究之四》,载《马克思主义与现实》2015年第1期。
② 《马克思恩格斯全集》第31卷,人民出版社1972年版,第181页。

修正。在篇章结构上，马克思把工资理论从原先的第五章中独立出来，并把原来的"章"改为"篇"，形成了七篇二十五章的结构。在理论上，马克思取消了原先对价值形式的双重叙述，价值形式部分几乎也改写了。马克思逝世后，恩格斯根据马克思的遗愿，出版了《资本论》第1卷德文第三版（1884年）和第四版（1890年），并根据马克思遗留下的大量手稿，对《资本论》第2、3卷进行编辑整理，并于1885年和1894年先后出版了这两卷著作。之后，《资本论》第四卷，也就是马克思计划的经济理论史部分，即《剩余价值理论》，经由卡·考茨基编辑整理，于1905—1910年分三卷出版。

（七）《资本论》与辩证法

《资本论》是理论与方法有机结合的浑然一体的著作。理论的展开以一定的方法论为指导，方法的贯彻在理论的阐述中得到体现，二者互相结合，使整部著作熠熠生辉。如果不懂得《资本论》的方法，便不能真正理解《资本论》。学术界对《资本论》方法论的探讨相对较少，至今仍然有很多不同意见。

关于《资本论》的方法，马克思本人就有几种不同的提法。在《1857—1858年经济学手稿》的《导言》中，马克思指出，当从政治经济学角度考察一个国家时，只有从抽象上升到具体的方法，才是"科学上正确的方法"[1]。在《资本论》第1卷第一版序言中，马克思又说："分析经济形式，既不能用显微镜，也不能用化学试剂。二者都必须用抽象力来代替。"[2] 在同书的第二版中马克思引述了俄国经济学家考夫曼对《资本论》特有方法的评述之后，表示自己的方法是"辩证方法"[3]。由于没有正确理解马克思的这几种提法是针对不同层次的问题讲的，因此对《资本论》的方法就有三种主要不同的理解，即抽象法、从抽象上升到具体的方法、辩证法。

抽象法是揭示事物内在本质的方法，通过科学抽象，从现象深入本质，从特殊达到一般，从偶然性达到必然性和规律。这是在分析商品和资本的直接生产过程时经常采用的方法。它主要用于分析较抽象的经济形式，但当从抽象的经济形式上升到具

---

[1]《马克思恩格斯选集》第2卷，人民出版社2012年版，第18页。
[2]《马克思恩格斯全集》第23卷，人民出版社1972年版，第8页。
[3]《马克思恩格斯全集》第23卷，人民出版社1972年版，第23页。

体经济形式时，单靠科学抽象法就不够了，就必须运用从抽象上升到具体的方法，但也只是指出了逻辑进程的顺序，要想对复杂的经济现象进行全面分析，就必须全面运用辩证法和逻辑学的各种规律、范畴和方法。比较全面的提法是辩证法。辩证法是自然界、人类社会和思维的一般规律，它是普遍的方法论原则。从这个意义上说，只有辩证法才能较为全面地说明《资本论》方法的主要特点。对于《资本论》与黑格尔辩证法的关系，学术界有不同的观点。

郗戈认为："黑格尔对《资本论》的影响，不仅是方法论或体系建构上的外在影响，而且是问题意识、理论视野与思维方式层面的内在影响。马克思沿着黑格尔的现代性分裂与和解的思路不断深究，通过对《法哲学原理》《精神现象学》与《逻辑学》等著作的批判性解读，进一步揭示出了现代性矛盾的要害。从黑格尔《精神现象学》到马克思《资本论》，标志着西方现代性批判思想的一个极为关键的发展：在总体性视野中审视现代性，并从现代性分裂的精神和解走向资本统治的自我克服，从乐观调和的理论思辨走向改变世界的革命实践。"①

张世英在《论黑格尔的〈逻辑学〉》中将矛盾分析法和由抽象上升到具体的方法,作为贯穿整个《资本论》的主要方法。"《资本论》的方法有两个主要特点:一是把概念和范畴的推移和转化看成是由于内在矛盾而不断发展的过程,叫作矛盾分析法;二是把概念和范畴的推移和转化,看成是由简单到复杂的过程,叫作由抽象上升到具体的方法。"②但是,概念的由抽象上升到具体,不过是矛盾发展由简单到复杂的反映,这只不过是同一过程的两个方面,而不是两种并列的方法。

弓孟谦认为:"马克思的方法不仅是辩证的,而是唯物的,它与黑格尔的唯心辩证法有本质区别。"③黑格尔"第一个全面地有意识地叙述了辩证法的一般运动形式"④。但是,在黑格尔那里辩证法

---

① 郗戈:《从黑格尔到〈资本论〉:现代性矛盾的调和与超越》,载《学术月刊》2014年第4期。
② 张世英:《论黑格尔的〈逻辑学〉》,中国人民大学出版社2010年版,第393页。
③ 弓孟谦:《攀登者的探索——〈资本论〉的理论、方法和实践》,北京大学出版社1992年版,第4页。
④ 《马克思恩格斯全集》第23卷,人民出版社1972年版,第24页。

是"头脚倒立"着的。"在黑格尔看来，思维过程，即他称为观念而甚至把它变成独立主体的思维过程，是现实事物的创造主，而现实事物只是思维过程的外部表现。"[1]而对马克思而言，观念的东西不外是移入人的头脑并在人的头脑中改造过的物质的东西罢了。

王南湜认为："《资本论》的辩证法与黑格尔的思辨逻辑有着根本的不同，是一种近于康德的'范畴对感性有效'的历史化的先验逻辑。它包含两方面的内容：一方面是通过基于历史性的生产方式的思维范畴对于感性经验的重构，是思维对于世界的一种独特的把握方式，其产物是一种类似于康德之现象界的存在领域，而绝非如黑格尔的'客观的思想'所标示的那样，是实在自身的自我产生、自我展开；另一方面则是通过一种类似于康德的幻想的逻辑而揭示出资本主义之永恒性乃是一种背离了科学逻辑的先验幻相，从而证明了资本主义乃是一种历史性存在。"[2]

---

[1] 《马克思恩格斯全集》第23卷，人民出版社1972年版，第24页。
[2] 王南湜：《〈资本论〉的辩证法：历史化的先验逻辑》，载《社会科学辑刊》2016年第1期。

李建平认为,《资本论》的辩证法和黑格尔的辩证法存在三点不同。第一点,出发点不同。在黑格尔那里,思维是第一性的,存在是第二性的,思维决定存在,存在只是思维的外化。而在马克思那里,存在是第一性的,意识是第二性的,存在决定意识,意识是存在的反映。第二点,彻底性不同。黑格尔的辩证法是不彻底的,由于体系的需要,他不得不给绝对精神的发展设定一个终点。而《资本论》的辩证法的发展原则是一以贯之的,是批判的和革命的。第三点,阶级性不同。黑格尔的哲学反映了德国资产阶级的要求,客观上是为当时的普鲁士王国的君主专制制度服务的。而《资本论》的辩证法是革命无产阶级的意识形态,是为无产阶级反对资产阶级的斗争服务的。[1]

不难看出,黑格尔的哲学体系,是彻底唯心的、头脚倒立的哲学体系。它把精神和物质、思维和存在的关系完全颠倒了。因此,马克思认为:"必须把它倒过来,以便发现神秘外壳中的合理内核。"[2]

---

[1] 李建平:《〈资本论〉第一卷辩证法探索》,社会科学文献出版社2006年版,第7—9页。
[2] 《马克思恩格斯全集》第23卷,人民出版社1972年版,第24页。

这个神秘外壳中的合理内核，就是它的极端丰富的辩证法。马克思提取了黑格尔辩证法中的有利因素，加以唯物主义的改造，应用于《资本论》的理论分析之中。马克思抛弃了它的唯心主义外壳和形而上学成分，运用唯物辩证法分析资本主义经济。恩格斯说过，马克思过去和现在是唯一能够担当这件工作的人，这就是从黑格尔《逻辑学》的唯心主义体系中，剥出辩证法的合理内核，使辩证法摆脱它的唯心主义外壳，使它成为唯一正确的思维方法。"马克思对于政治经济学的批判就是以这个方法作为基础的，这个方法的制定，在我们看来是一个其意义不亚于唯物主义基本观点的成果。"[1]马克思也说过，他的叙述方法与黑格尔不同，因为他是唯物主义者，而黑格尔是唯心主义者。马克思《资本论》的辩证法是剥去了黑格尔辩证法的神秘形式后的唯物辩证法。

对于马克思《资本论》辩证法和黑格尔辩证法的区别，恩格斯曾做过这样的说明："黑格尔的辩证法之所以是颠倒的，是因为辩证法在黑格尔看来

---

[1]《马克思恩格斯全集》第13卷，人民出版社1962年版，第532页。

应当是'思想的自我发展',因而事物的辩证法只是它的反光。而实际上,我们头脑中的辩证法只是自然界和人类社会中进行的,并服从于辩证形式的现实发展的反映。""即使把马克思的从商品到资本的发展同黑格尔的从存在到本质的发展作一比较,您也会看到一种绝妙的对照:一方面是具体的发展,正如现实中所发生的那样;而另一方面是抽象的结构,在其中非常天才的思想以及有些是极其重要的转化,如质和量的相互转化,被说成一种概念向另一种概念的表面上的自我发展。"[①]

在马克思看来,"辩证法在对现存事物的肯定的理解中同时包含对现存事物的否定的理解;即对现存事物的必然灭亡的理解;辩证法对每一种既成的形式都是从不断的运动中,因而也是从它的暂时性方面去理解;辩证法不崇拜任何东西,按其本质来说,它是批判的和革命的"[②]。马克思引述别人对《资本论》辩证方法的评述,肯定《资本论》的价值正是"在阐明了支配着一定社会机体的产生、生存、发展和死亡以及以另一更高的机体所代替的特

---

① 《马克思恩格斯〈资本论〉书信集》,人民出版社1976年版,第519页。
② 《马克思恩格斯全集》第23卷,人民出版社1972年版,第24页。

殊规律"①。马克思在《资本论》中对对象所做的质量分析、数量分析和度量分析，奠定了唯物辩证法关于质、量、度关系的方法论基础。从商品的使用价值到价值，到资本的各种形态的运动，马克思都详尽地考察了质和量的变化和辩证联系；在揭示诸如货币到资本的转化、手工业师傅变成资本家等过程时，运用了、证明了量变引起质变的规律。无须费多大劲就可以看出，在对资本运动形态变化过程的考察中，在构造《资本论》理论体系的结构中，马克思把否定之否定规律作为科学方法来运用并取得了成功。

在《资本论》中，马克思对唯物辩证法的基本原理和主要规律进行了论证和阐发，同时也把辩证法作为科学方法运用到政治经济学研究中。马克思说过，《资本论》是他"把辩证方法应用于政治经济学的第一次尝试"②。马克思曾经打算写一本关于辩证法的书，但他后来一直没有时间来完成这个心愿。列宁说："虽然马克思没有遗留下'逻辑'，但

---

① 《马克思恩格斯全集》第23卷，人民出版社1972年版，第23页。
② 《马克思恩格斯全集》第31卷，人民出版社1972年版，第385页。

他遗留下《资本论》的逻辑。"①

(八)《资本论》与唯物史观

改革开放40多年间,中国特色社会主义探索走向了一个新的阶段,《资本论》哲学研究也相应地有所进展,对《资本论》历史观的研究开创了全新局面,大大推进了《资本论》研究的水平与深度。

在以往的观念中,学界普遍认同苏联哲学教科书的说法,即历史唯物主义是应用辩证法唯物主义观察和分析社会的结果,因此,对《资本论》历史观的研究长期以来没有得到应有的重视。随着研究的深入,研究者开始注意到《资本论》对唯物史观的深化和丰富。在这一时期,涌现出大量关于《资本论》历史观的研究成果。

最早对《资本论》历史观进行研究的,是1981年出版的景天魁的《打开社会奥秘的钥匙——历史唯物主义逻辑结构初探》。他认为,历史唯物主义的逻辑体系存在于从《1844年经济学哲学手稿》,主要经过《政治经济学批判大纲》到《资本论》的发展过程之中,这是我们把握历史唯物主义逻辑体

---

① 《列宁全集》第55卷,人民出版社1990年版,第290页。

系的根基。他进一步从《资本论》出发把握唯物史观的整个体系。法国学者阿尔都塞认为:"《资本论》这部巨著包含的内容,可以说是整个人类史上的三大科学发现之一……由于这一发现,一个可以称之为'历史大陆'的领域向科学认识敞开了大门。在马克思之前,已有两个相当重要的'大陆'向科学认识敞开了大门:数学大陆是由希腊人在公元前五世纪敞开的,物理学大陆是由伽利略敞开的。"[1]

陈先达在《走向历史的深处——马克思历史观研究》中明确指出,马克思在创立无产阶级政治经济学的同时深化和丰富了唯物史观,《资本论》用严密的逻辑体系再现了作为活的有机体的资本主义社会形态。冯景源、顾海亮、丰子义的《新视野:〈资本论〉哲学新探》把主体唯物主义作为《资本论》唯物史观的深层结构,概括了《资本论》哲学的艺术整体,归纳其哲学研究的方法论。值得关注的是,该书还结合现实角度对《资本论》中的劳动理论、社会发展理论和人学理论进行了探索。

---

[1] [法]阿尔都塞:《资本论》第1卷法文版序言。

经过五年合作研究，上海复旦大学孙承叔与北京大学王东于1988年合作发表了学术专著《对〈资本论〉历史观的沉思（现代历史哲学构想）》(本篇简称《沉思》)，该书从七个方面试图做出新的探讨。该书认为马克思哲学的思想高峰尤其是唯物史观发达机体，蕴含在《资本论》及其三大手稿的总和之中。该书对马克思唯物史观总体结构做出了全新阐释，《沉思》认为不能把马克思历史观的内容简单化地归结为社会发展规律，它是立足于物质世界自然发展的基础之上的三大世界历史过程的有机统一，综合了劳动实践活动的自我创造过程、社会发展合规律性与合目的性的自然历史过程和现实个人的发展过程。

孙承叔认为，《资本论》是一座历史丰碑，它的真正价值是在哲学与经济学、社会学、历史学的结合，正是这种天然结合，才突显出《资本论》高于一切传统经济学、政治学、社会学、历史学的崇高气质。"离开了历史唯物主义，便不可能理解马克思的经济学，而离开了马克思的经济学，也不可能理解马克思的历史唯物主义。历史唯物主义是以马克思的经济理论为基础发展起来的，而马克思的经济理论则是建立在历史唯物主义基础上的,这是一种相辅相成、互为前提的过程。"①

对《资本论》历史观进行研究的著作和论文还有很多,如刘炯忠的《论〈资本论〉对唯物史观的证明》,高新军的《揭示历史发展之谜——〈资本论〉历史唯物主义思想研究》,金志广的《〈资本论〉中的历史唯物主义若干问题研究》,丰子义的论文《试论〈资本论〉对唯物史观的科学证明》,孙承叔的论文《〈资本论〉及其手稿的哲学地位》,冯景源的论文《再谈唯物史观"艺术整体"的重要意义》,等等。

丰子义认为:"唯物史观创立的思想形成主要体现的是一种'归结'的方式,而《资本论》中唯物史观的呈现方式正好与之相反,采取的是一种'上升'的方式。在其'上升'的过程中,唯物史观既是一种运用,又是一种证明、深化和发展。在《资本论》中,唯物史观的研究和阐发主要是抓住生产关系这一核心问题,并通过'社会有机体'和'社会经济形态的发展是一种自然历史过程'这两大思

---

① 孙承叔:《〈资本论〉及其手稿当代解读》,复旦大学出版社2013年版,第1页。

想来展开和得到体现的。《资本论》对唯物史观有着创造性的理论贡献。唯物史观在《资本论》中又发挥着独特的功能，即驱雾解蔽的功能、透视现象的功能、揭露矛盾的功能、价值指向的功能等。"[1] 赵敦华将唯物史观视为马克思的《资本论》的重要底本，指出"马克思以唯物史观为底本，试图揭露现代经济学家的问题就在于抛弃了资本主义社会经济范畴的本质差别，将其扩大到人类一切社会和时代。马克思的经济科学要将唯物史观作为考察的前提，把握不同社会形态的整体的、本质的特征及各自差异"[2]。

恩格斯指出，唯物史观不仅是世界观，而且是方法论。列宁在谈到《资本论》方法时，首先提到《资本论》"依据唯物主义的历史观"。马克思在写作《资本论》的初期，即在《〈政治经济学批判〉序言》中，就对历史唯物主义的基本原理做了经典性的阐述。列宁认为，这种天才思想"在那时暂时还

---

[1] 丰子义：《〈资本论〉唯物史观的呈现方式与独特作用》，载《中国高校社会科学》2015年第6期。
[2] 赵敦华：《〈资本论〉的"唯物史观底本"》，载《江海学刊》2017年第3期。

只是一个假设"①，但是"自从《资本论》问世以来，唯物主义历史观已经不是假设而是科学地证明了的原理"②。也就是说，在《资本论》创作的早期，历史唯物主义是作为一种假说，是与假说方法结合在一起被应用于《资本论》研究的。这里不但说明了这一方法在研究初期的特点，而且证明了在社会科学中假说这种科学方法的适用性。但在已经最后完成的《资本论》中，唯物史观再也不是以科学假说的形态出现了，它是作为已被证明了的科学原理以及科学方法而存在的。马克思在《资本论》第一版序言中说："我的观点是：社会经济形态的发展是一种自然历史过程。"③这句话集中反映了马克思关于社会历史发展规律客观性的理论，也反映了马克思坚持唯物史观的基本立场、观点和方法。

对于《资本论》与马克思主义的哲学变革这一问题，有观点认为，资本论不是马克思主义，产生了新的哲学。对此，孙正聿认为："马克思的《资本论》是'关于现实的人及其历史发展的科

---

① 《列宁全集》第1卷，人民出版社1984年版，第119页。
② 《列宁全集》第1卷，人民出版社1984年版，第122页。
③ 《马克思恩格斯全集》第23卷，人民出版社1972年版，第12页。

学'，它不是把哲学视为凌驾于科学之上的'解释世界'的'普遍理性'，而是把哲学视为'改变世界'的世界观，并把新的时代精神定位为人类以自身的实践活动及其历史发展所实现的人类自身的解放。"[1]"马克思在《资本论》中自觉地承担起的哲学使命，不仅理论地表征了我们今天的时代精神，而且理论地塑造和引导了新世纪乃至新千年的新的时代精神。以《资本论》为标志的马克思主义哲学是真正的'时代精神的精华'和'文明的活的灵魂'。"[2]

五、小结

学习和研读《资本论》是一种需要付出很大努力，但会受益无穷的学术训练和理论锤炼。深入阅读和理解《资本论》，掌握其丰富内涵和科学方法是非常重要也是十分必要的，这将为我们日后的学习和研究打下坚实的理论基础。

正如马克思所言："在科学上没有平坦的大道，只有不畏劳苦沿着陡峭山路攀登的人，才有希望到

---

[1][2] 孙正聿：《〈资本论〉与马克思主义哲学》，载《学习与探索》2014年第1期。

达光辉的顶点。"《资本论》是马克思用毕生心血写成的一部最主要的著作。150多年来，它被称为工人阶级的圣经，马克思主义的百科全书。在这部著作中，马克思运用辩证唯物主义和历史唯物主义原理，对资本主义经济形态进行了深入剖析，揭示了资本主义的经济运行规律，阐明了资本主义必然为新的社会经济形态所取代的历史趋势和历史条件，科学地预见了未来社会的基本特征，从而为无产阶级推翻资本主义、建设社会主义和最终实现共产主义指明了方向。

《资本论》对人类的命运尤其是对占人口绝大多数的劳动人民的命运给予了深切关怀，因而以其独特的魅力对整个文明世界产生了深刻而持久的影响。"任何一个熟悉工人运动的人都不会否认：本书所作的结论日益成为伟大的工人阶级运动的基本原则，不仅在德国和瑞士是这样，而且在法国，在荷兰和比利时，在美国，甚至在意大利和西班牙也是这样；各地的工人阶级都越来越把这些结论看成是对自己的状态和自己的期望所作的最真切的表述。"《资本论》成为无产阶级和人民群众反抗资本主义剥削压迫，争取社会进步和人类自由解放的重要理论源泉。它作为工人阶级的"圣经",启迪了欧洲工人阶级的阶级意识,推动了发达资本主义国家的工人运动;唤醒了整个人类对资本主义的历史反省,极大地改变了从西方到东方乃至整个世界的面貌。正如《资本论》第一卷出版之后,恩格斯所指出的那样:"自从世界上有资本家和工人以来,没有一本书像我们面前这本书那样,对于工人具有如此重要的意义。"

历史的尘埃无法遮蔽经典的光辉。即便是到了21世纪的今天,《资本论》依然展现出了旺盛的生命力和强劲的影响力。虽然当今的时代条件已经与马克思写作《资本论》的年代有很多不同,但实践证明,历经时代洗礼,《资本论》所揭示的马克思主义基本原理并没有失去真理的光芒。马克思一生有两大科学发现:一是唯物史观,二是剩余价值学说。《资本论》既充分论证和阐明了唯物史观,更全面系统深入地阐述了马克思关于剩余价值的学说。通过对剩余价值的生产、流通和分配的分析,深刻揭示了资本主义经济的内在矛盾,说明了资本主义经济的运动规律。现代资本主义经济与马克思的时代相比,虽然有不小的变化,但雇佣劳动制度和资产阶级对剩余价值贪得无厌的追逐，仍然是资本主义制度的基本特征。因此，《资本论》中所揭示的基本原理，仍然是科学认识当代资本主义的有力武器。

每当周期性经济危机的阴影笼罩在资本主义社会的上空，《资本论》总是会不断被"热捧"和重视。特别是2008年金融危机以来，在世界许多地方，特别是在发达资本主义国家，再次兴起了《资本论》研究热。马克思指出："无论哪一个社会形态，在它所能容纳的全部生产力发挥出来以前，是决不会灭亡的；而新的更高的生产关系，在它的物质存在条件在旧社会的胞胎里成熟以前，是决不会出现的。"资本主义之所以还能继续存在并获得一定程度的发展，其根本原因在于资本主义生产关系还没有穷尽它对生产力的容纳程度。但是，由于资本主义无法从根本上改变资本主义私有制和雇佣劳动关系，无法破除资本主义私有制与社会化大生产之间的固有矛盾，因而资本主义必然会爆发周期性经济危机，并最终敲响资本主义的丧钟。

宋代理学家朱熹有诗云："半亩方塘一鉴开，天光云影共徘徊。问渠那得清如许？为有源头活水来。"马克思的《资本论》就是"源头活水"。面对新事物、新现象、新问题，必须从经典中汲取营养，与时俱进，不断创新，在实践中不断丰富和发展马克思主义。面对新事物、新现象、新问题，必须从经典中汲取营养，与时俱进，不断创新，在实践中不断丰富和发展马克思主义。中国共产党将《资本论》所揭示的马克思主义政治经济学基本原理同中国的具体实际相结合，立足社会主义初级阶段基本国情，建立和完善中国特色社会主义市场经济，在理论和实践中开辟中国特色社会主义政治经济学发展的新境界，推动社会主义市场经济向更高水平更高质量发展迈进。发展是解决我国一切问题的基础和关键，必须坚持以人民为中心的发展思想，解放生产力，发展生产力，不断满足人民群众对美好生活的需要，促进人的自由全面发展。历史和实践证明，中国特色社会主义拓展了发展中国家走向现代化的途径，对当今世界试图摆脱贫困、实现国家发展的广大发展中国家具有重要的启示价值和借鉴意义。

参考文献

1. 《马克思恩格斯文集》第5卷,人民出版社2009年版。
2. 《马克思恩格斯文集》第6卷,人民出版社2009年版。
3. 《马克思恩格斯文集》第7卷,人民出版社2009年版。
4. 《资本论》第1卷,人民出版社2004年版。
5. 《资本论》第2卷,人民出版社2004年版。
6. 《资本论》第3卷,人民出版社2004年版。
7. 列宁:《哲学笔记》,人民出版社1993年版。
8. [苏]费多谢耶夫等:《卡尔·马克思》,孙家衡等译,生活·读书·新知三联书店1980年版。
9. [苏]提·伊·奥伊泽尔曼:《马克思主义哲学的形成》,潘培新等译,生活·读书·新知三联书店1964年版。
10. [法]奥古斯特·科尔纽:《马克思恩格斯传》,刘磊等译,生活·读书·新知三联书店1980年版。
11. [德]弗·梅林:《马克思传》,樊集译,人民出版社1965年版。
12. [英]戴维·麦克莱伦:《马克思传》,王珍译,中国人民大学出版社2005年版。
13. 黄楠森等:《马克思主义哲学史》,北京出版社1991年版。
14. 孙伯鍨:《探索者道路的探索》,南京大学出版社2002年版。
15. 孙承叔:《资本与历史唯物主义》,复旦大学出版社2013年版。
16. 皮凯蒂:《21世纪资本论》,中信出版社2014年版。

17. 顾海良：《马克思主义发展史》，中国人民大学出版社2007年版。

18. 何萍：《马克思主义哲学史教程》，人民出版社2009年版。

19. 杨志等：《〈资本论〉解读》，中国人民大学出版社2014年版。

20. 王亚南：《〈资本论〉研究》，上海人民出版社1978年版。

21. 俞明仁：《〈资本论〉讲解》，浙江人民出版社1981年版。

22. 顾海良、常庆欣等编：《百年论争——20世纪西方学者马克思经济学研究述要》，经济科学出版社2015年版。

23. 周守正：《马克思〈资本论〉的逻辑开端的研究》，载《河南师大学报》（社会科学版）1982年第6期。

24. 潘正文：《从〈资本论〉的起点看逻辑、辩证法、认识论的一致性》，载《中山大学学报》（哲学社会科学版）1983年第1期。

25. 丁堡骏、王金秋：《〈资本论〉的逻辑起点及当代意义》，载《经济纵横》2015年第1期。

26. 左照平：《试论〈资本论〉的逻辑起点》，载《温州师范学院学报》（哲学社会科学版）1990年第3期。

27. 罗雄飞：《论〈资本论〉的逻辑起点》，载《政治经济学评论》2014年第1期。

28. 葆良：《也谈〈资本论〉的研究起点》，载《光明日报》1964年1月20日。

29. 卫兴华：《〈资本论〉第一卷第一篇商品的性质》，载《学术月刊》1982年第1期。

30. 卫兴华：《〈资本论〉的研究对象、结构和学习的意义》，载

《当代经济研究》2002年第11期。

31. 胡培兆：《〈资本论〉研究起点的商品是什么商品》，载《福建论坛》1983年第1期。

32. 丁堡骏、王金秋：《〈资本论〉的逻辑起点及当代意义》，载《经济纵横》2015年第1期。

33. 王金秋：《〈资本论〉逻辑起点商品的性质：三种代表性观点述评》，载《当代经济研究》2017年第6期。

34. 张万余：《马克思劳动价值论的历史争论与现实扩展》，载《甘肃社会科学》2012年第3期。

35. 孟捷：《劳动力价值的再定义与剩余价值论的重构》，载《政治经济学评论》2015年第4期。

36. 吴学东：《从马克思的劳动思想看剩余价值论的科学性》，载《中南大学学报》(社会科学版)2014年第6期。

37. 郗戈：《〈资本论〉历史唯物主义思想的"内在张力"》，载《北京大学学报》(哲学社会科学版)2017年第1期。

38. 翁寒冰：《〈资本论〉视域中生产逻辑与资本逻辑的辩证关系》，载《南京政治学院学报》2017年第1期。

39. 郗戈：《〈资本论〉逻辑：资本逻辑还是"物象化"？》，载《教学与研究》2016年第9期。

40. 王荣：《马克思对资本逻辑的三重批判——基于〈资本论〉的阐释》，载《求实》2016年第5期。

41. 郗戈：《资本逻辑的自我扬弃:〈资本论〉哲学的未来向

度〉,载《学习与探索》2013年第8期。

42. 巴曙松:《在新的全球环境下重新思考财富分配——主持翻译〈21世纪资本论〉中文版的一点思考》,载《国际经济评论》2014年第6期。

43. 崔友平:《〈资本论〉与〈21世纪资本论〉比较研究》,载《马克思主义与现实》2015年第2期。

44. 杨军:《关于〈21世纪资本论〉若干评论的辨析》,载《马克思主义研究》2015年第9期。

45. 张科晓:《苏联〈资本论〉研究的演进轨迹及其启示》,载《理论月刊》2016年第1期。

46. 黎学军:《苏联哲学教科书的演进轨迹》,载《社会科学辑刊》2008年第4期。

47. 聂锦芳:《〈资本论〉哲学思想研究的学术史清理》,载《学习与探索》2013年第1期。

48. 乐和平:《浅论〈资本论〉的逻辑起点》,载《广西师范大学学报》(哲学社会科学版)1994年第2期。

49. 黎宏、卞彬:《〈资本论〉与〈21世纪资本论〉理论范式比较研究》,载《上海行政学院学报》2017年第2期。

50. 李其庆:《〈21世纪资本论〉是本什么样的书?——〈21世纪资本论〉与〈资本论〉若干理论问题的比较研究》,载《政治经济学评论》2015年第1期。

51. 胡钧、沈尤佳:《马克思经济危机理论——与凯恩斯危机理论的区别》，载《当代经济研究》2008年第11期。

52. 乔磊、白少君、安立仁：《马克思经济学与西方经济学经济危机理论的比较研究》，载《经济纵横》2010年第7期。

53. G.E.福尔格拉夫：《对〈资本论〉的新认识——写在MEGA2第2部分结束之际》，载《马克思主义与现实》2014年第3期。

54. 埃克·考普夫：《〈资本论〉第1卷德文第1版在MEGA2中的编辑情况》，载《马克思主义与现实》2012年第5期。

55. 王东：《〈资本论〉哲学意义》，载《哲学动态》2008年第11期。

56. 仰海峰：《〈资本论〉哲学思想研究：反思与重构》，载《华中科技大学学报》(社会科学版)2017年第3期。

57. 周嘉昕：《〈资本论〉与马克思主义哲学关系的四个基本问题》，载《哲学社会科学辑刊》2015年第5期。

58. 张钟朴：《〈资本论〉创作史系列讲座之一——从〈克罗茨纳赫笔记〉到〈伦敦笔记〉》，载《马克思主义与现实》2012年第5期。

59. 张钟朴：《〈资本论〉第一部手稿（〈1857—1858年经济学手稿〉）——〈资本论〉创作史研究之二》，载《马克思主义与现实》2013年第5期。

60. 张钟朴：《〈资本论〉第二部手稿（〈1861—1863年经济学手稿〉）——〈资本论〉创作史研究之三》，载《马克思主义与现实》2014年第1期。

61. 张钟朴：《〈1863—1865年经济学手稿〉——〈资本论〉创作史研究之四》，载《马克思主义与现实》2015年第1期。

62. 张钟朴:《〈资本论〉第一卷德文版——〈资本论〉创作史研究之五》,载《马克思主义与现实》2015年第6期。

63. 丰子义:《〈资本论〉唯物史观的呈现方式与独特作用》,载《中国高校社会科学》2015年第6期。

64. 赵敦华:《〈资本论〉的"唯物史观底本"》,载《江海学刊》2017年第3期。

65. 王东等:《〈资本论〉哲学研究60年——思想轨迹、焦点问题与未来走向》,载《江汉论坛》2010年第2期。

66. 张雷声:《〈资本论〉与马克思主义理论的整体性》,载《马克思主义研究》2010年第2期。

67. 张雷声:《再论〈资本论〉在马克思主义发展史上的地位》,载《甘肃社会科学》第2012年第5期。

68. 张雷声:《论唯物史观与剩余价值理论的结合——以马克思〈资本论〉及其创作过程为例》,载《学习与探索》2013年第8期。

69. 郗戈:《从黑格尔到〈资本论〉:现代性矛盾的调和与超越》,载《学术月刊》2014年第4期。

70. 王南湜:《〈资本论〉的辩证法:历史化的先验逻辑》,载《社会科学辑刊》2016年第1期。

71. 赵敦华:《〈资本论〉与〈逻辑学〉的互文性解读》,载《哲学研究》2017年第7期。

72. 孙正聿:《〈资本论〉与马克思主义哲学》,载《学习与探索》2014年第1期。